DISCARD

Chicago Public Library

REFERENCE

Form 178 rev. 11-00

Chicago Public Library
Toman Branch
2708 S Pulaski
Chicago, Il 60623

HINDUISMO, LA RELIGIÓN DE LOS MIL DIOSES

HINDUISMO, LA RELIGIÓN DE LOS MIL DIOSES

Adriana Bielba e Igor Zabaleta

www.edimat.es

Copyright © EDIMAT LIBROS, S. A.
C/ Primavera, 35
Polígono Industrial El Malvar
28500 Arganda del Rey
MADRID-ESPAÑA
www.edimat.es

Reservados todos los derechos. El contenido de esta obra está protegido por la Ley, que establece penas de prisión y/o multas, además de las correspondientes indemnizaciones por daños y perjuicios, para quienes reprodujeren, plagiaren, distribuyeren o comunicaren públicamente, en todo o en parte, una obra literaria, artística o científica, o su transformación, interpretación o ejecución artística fijada en cualquier tipo de soporte o comunicada a través de cualquier medio, sin la preceptiva autorización.

ISBN: 84-9764-682-7
Depósito legal: M-19635-2005

Colección: Religiones y cultos
Título: Hinduismo, la Religión de los Mil Dioses
Autores: Adriana Bielba e Igor Zabaleta
Diseño de cubierta: El Ojo del Huracán
Impreso en: Cofás, S. A.

IMPRESO EN ESPAÑA – *PRINTED IN SPAIN*

ÍNDICE

INTRODUCCIÓN 9

LA HISTORIA 11
   Buscando el origen 13
   La civilización Harappa 13
   La civilización Védica 16
   Primer imperio indio 19
   La etapa dorada 20
   Período ecléctico 23
   Etapa musulmana 24
   La joya de la corona 27
   En busca de la independencia 29
   India independiente 32
   Hindú e hinduismo 36

MITOLOGÍA HINDÚ 37
   El falso politeísmo 38
   Origen de los dioses 42
   Trinidad hinduista 44
   Brahma 46
   Vishnú 47
   Shiva 48
   Krishna 50
   Rama 51
   Hanuman 53
   Saraswati 55
   Lakshimi 57
   Parvati 58
   Ganesha 62

Indra 64
Surya 66
Varuna 67
Vayu 68
Arjuna 69
Aditi 71

FILOSOFÍA HINDÚ 73
¿Quién es Dios? 74
El tiempo 75
Todos somos divinos 76
El samsara o la trasmigración de las almas 78
El karma 80
El moksha 81
Las metas del hinduismo 83
Artha 84
Kama 86
Dharma 87
La estructura social 88
Funcionamiento de las castas 90
Paralelismos culturales 92
El origen de las castas 94
Historia de las castas desde la antigüedad hasta nuestros días 98
La palabra santa 101
La vaca sagrada 102

RITOS, CELEBRACIONES Y PRECEPTOS 107
El dios en casa 108
Rituales especiales 109
Samskara 110
El matrimonio 116

LUGARES SAGRADOS 125
La peregrinación 126
Accidentes geográficos 127
Ciudades sagradas 130
Benarés, ciudad mística 133
La ciudad de Haridwar 135
Rishikesh: la puerta del mundo 136

    Mathura: cuna de Krishna 137
    Agra: ciudad del Taj Mahal 138
    Otras ciudades santas 139
  Los ríos hindúes 140
    El Ganges 142
  Las montañas hindúes 144
    E! Himalaya, un lugar sagrado 145
    Monte Meru 146
    Monte Kailash 147

LAS ESCUELAS HINDUISTAS 149
  El modelo de Shankara: Advaita-Vedanta 150
  El modelo de Mhadva: Dvaita-Vedanta 153
  El modelo de Ramanuja: Vishishta-a-dvaita 158

GLOSARIO DE TERMINOLOGÍA BÁSICA 177

INTRODUCCIÓN

El hinduismo es una religión verdaderamente apasionante y, en el fondo, una gran desconocida en Occidente. Más allá de unos cuantos tópicos socorridos, poco más nos ha llegado de una de las doctrinas más antiguas de la humanidad. Muchos prejuicios y poco conocimiento real. El budismo, que nació dentro del hinduismo, es muchísimo más popular que la creencia que nos proponemos estudiar. Oriente se relaciona con el budismo y pocos son los que poseen un verdadero conocimiento de la doctrina hindú.

Para muchos, el hinduismo, más que una religión, es una filosofía de vida. De hecho, buena parte del auge de la filosofía alemana se debió a la toma de contacto de algunos pensadores con esta civilización. Muchos filósofos descubrieron que el hinduismo era capaz de ofrecer interesantes respuestas a las preguntas que se planteaban.

Y es que esta religión milenaria ofrece la posibilidad de encontrar desde complejas investigaciones sobre temas metafísicos hasta sencillos consejos para mejorar la vida de cada uno de sus seguidores. Puede ser estudiada en profundidad o simplemente brindar soluciones cotidianas.

Sin embargo, hasta nosotros sólo llegan pequeñas aseveraciones, grandes tópicos y muy poca profundidad. Por ello, creemos que este libro será muy útil para explicar con sencillez pero con precisión en qué consiste la religión más antigua del mundo.

El lector encontrará diferentes capítulos en los que podrá profundizar en cada uno de los aspectos de esta doctrina. De forma amena pero documentada podrá ir desvelando los misterios de un credo poco conocido y contaminado por clichés y tópicos.

Asimismo, los autores han creído oportuno contextualizar su narración. Explicar qué ocurre en la actualidad en la India, cómo se vive esta religión milenaria, qué cambios se han producido y hacia dónde apunta este credo.

LA HISTORIA

El hinduismo es una de las religiones más antiguas que se conocen. Su origen se pierde en la noche de los tiempos, por lo que resulta imposible hablar de la fecha concreta de su nacimiento. Pero quizá lo más sorprendente sea constatar la fantástica salud de la que goza en la actualidad. Resulta cuanto menos curioso que tras tantos siglos, la religión siga teniendo tanta aceptación y conserve casi intacto su *corpus* de doctrinas.

El hinduismo fue concebido como algo más que una religión. Se trata de una filosofía compleja que pretende interpretar el mundo y ofrecer normas para poder vivir del mejor modo posible. Es, seguramente, la filosofía más antigua que se conoce. Quizá uno de los secretos de su longevidad sea que no tan sólo creó mitos, sino que profundizó en la concepción del mundo y se adentró en la filosofía incluso antes que ésta existiera tal y como hoy la conocemos.

Esta religión incorpora todos los mitos, las creencias y las religiones de la época en la que surgió. Las unifica, las ordena y crea una doctrina coherente que es capaz de dirigir la sociedad y el culto. Como casi todas las religiones, parte de elementos preexistentes que contaban ya con la plena aceptación del pueblo. A partir de ahí, va más lejos y absorbe esas creencias para configurar una más compleja que consigue que la anterior se olvide.

Lo más sorprendente es que el hinduismo no tiene fundador. Si lo pensamos un poco, descubriremos que todas las religiones tienen un personaje o varios que son los que revelan las verdades o que actúan como mediadores con la divinidad. Buda, Jesucristo o Mahoma, por citar tres ejemplos, desempeñan diferentes papeles, pero tienen en común que son los fundadores de su creencia. Incluso, si investigamos el judaísmo, nos encontramos figuras como Moisés o Abraham, que juegan un papel de vital importancia en el establecimiento de esa doctrina.

Sin embargo, el hinduismo se basa en escritos cuya autoría se pierde en la antigüedad. No se sabe exactamente quién los recopiló y, sin embargo, se han conservado intactos y han reglado la vida de los hindúes durante milenios. No hay una figura que juegue el papel de transmisor ni que tenga un papel protagonista. Se explica la historia de los dioses y las normas que se deben llevar a cabo para tener una buena convivencia. A la sazón, también estructura la concepción del mundo con una filosofía profunda. Y todo ello, sin que exista un solo nombre que provoque la identificación del seguidor.

> Muchos opinan que el hinduismo es la religión menos «egocéntrica» de todas. No importa quién la fundó, sino que todo el protagonismo recae en la doctrina. Los ejemplos personales sólo son útiles si ayudan a comprenden mejor las creencias.

Tal vez en este detalle esté la clave de su atemporalidad, de esa capacidad de seguir vigente tantos siglos después. El resto de religiones están ancladas en un personaje y una época. En cambio, el hinduismo crea un mundo y una concepción de la vida que no se relaciona con un lugar concreto y por tanto puede perdurar sin apenas modificarse.

Para entender el hinduismo es necesario comprender cómo surgió una de las filosofías más elaboradas de la antigüedad.

BUSCANDO EL ORIGEN

Como se ha visto, no podemos hablar en esta religión de un fundador y, por tanto, tampoco podremos relatar sus peripecias para conseguir que su palabra fuera oída y llegara al mayor número de personas.

¿Cuál es, así las cosas, el origen del hinduismo? Para comprender esta religión, forzosamente, tendremos que bucear en la historia de la India. Por ello, en este capítulo intentaremos acercarnos un poco más a la historia de este fascinante país. La única manera de poder entender las raíces de su religión, las modificaciones que ha sufrido durante siglos y el estado actual del culto.

> Los hindúes son un pueblo profundamente espiritual. Este carácter está presente en casi todas las etapas de su historia. De hecho, éste país no es sólo la cuna del hinduismo, sino que también albergó el jainamismo y el budismo.

Intentaremos hacerlo de forma que los acontecimientos nos muestren cómo se conformó este credo. Esta información también nos será muy útil para comprender cómo el hinduismo influye en la mentalidad india.

LA CIVILIZACIÓN HARAPPA

Entre los años 1000 y 500 a.C. prosperó a las orillas del Ganges una gran civilización.

La primera gran cultura india es la de Harappa. No se sabe con certeza la fecha de su nacimiento, pero se cree que se remonta al 4000 a.C. Algunos, ponen una fecha anterior: hacia el 5000 a.C.

Poco se sabe de los habitantes y de sus costumbres. Se tiene la certeza de que vivieron y poblaron el valle del Indo, el actual Pakistán. El esplendor de su civilización tan sólo es comparable al de la de Egipto y a la Mesopotámica. Al igual que éstas, la cultura del Indo contó con una forma de escritura propia. Pero a diferencia de las otras, aún no se ha podido descifrar la clave para interpretar los escritos que han llegado hasta nuestros tiempos. Algunos estudiosos han podido traducir algunos, pero sigue siendo un misterio la clave que nos permitiría interpretarlos en su totalidad. Los expertos consideran que sólo hay una lengua que se le parezca: la que se hablaba en la Isla de Pascua, en el Pacífico. Algunos creen, incluso, que se trata de la misma, pero no hay evidencias que puedan constatar esta afirmación. Entre tanto, el lenguaje Harappa sigue siendo un enigma que difícilmente se podrá descifrar.

La cultura del Indo tuvo su momento álgido entre el segundo y el tercer milenio antes de Cristo. Se conservan muchas armas y utensilios y unos enigmáticos sellos de esteatita. Esos sellos siguen siendo un misterio hoy en día. En ellos aparecen imágenes como mínimo curiosas: un unicornio, un hombre sentado, el señor de los animales...

La mayoría de estos hallazgos han sido encontrados en las ciudades de Mohenjo-Daro y Harappa (ésta última es la que da nombre a la cultura). Se sabe también que en aquella época tuvo gran importancia Lothal, que se convirtió en un puerto marítimo de primer orden, a través del cual se mantuvieron contactos con Babilonia. Para la mayoría de los expertos es indiscutible que la meditación y el culto a la fecundidad son elementos que el hinduismo incorporó, pero que ya estaban presentes en otras religiones previas que se practicaban en esta área geográfica.

Los sellos también nos han dejado constancia del próspero comercio que se llevaba a cabo en la región. Desde la civilización Harappa se llevaban a cabo negocios con las más importantes ciudades vecinas.

Lo cierto es que poco sabemos con exactitud sobre los primeros pobladores del Indo. Casi todos los estudiosos remarcan que formaban parte de una civilización que sobresalió por sus avances. Tenían complejos regadíos que facilitaban la agricultura y una artesanía muy prolífica. También supieron diseñar un sorprendente trazado urbanístico. Se han encontrado restos de cloacas y de primitivos retretes. Las calles estaban muy bien estructuradas y las edificaciones estaban situadas de forma que los vientos les fueran siempre favorables. Todo ello hace pensar que se trataba de una sociedad muy cohesionada y jerarquizada.

Sin embargo, toda esta maravilla desapareció de golpe alrededor de 1750 a.C. ¿Qué ocurrió? Esta pregunta resulta muy difícil de contestar. Sabemos mucho menos de nuestro pasado de lo que creemos y aquí se abre la veda para la especulación. Algunos argumentan que hubo un cambio climático que recrudeció las condiciones de vida. Esta próspera civilización podría haber perecido al no estar preparada para adaptarse a las duras condiciones de vida.

Otros estudiosos del pasado consideran que pudo coincidir con una gran catástrofe: un diluvio de magnitudes desconocidas, el choque de un meteorito... Hay tantas teorías como estudios sobre el tema. Y ninguna de ellas ha conseguido imponerse sobre las otras.

Por último hay quien cree que estas tribus se enzarzaron en guerras intestinas por el poder global de la región que acabaron destruyéndolas. Sin embargo, se desconoce los grupos que podrían haber participado en estos enfrentamientos y el tipo de batallas que se llevaron a cabo.

De cualquier forma, sólo hay un dato comprobable: hacia 1750 a.C. la próspera civilización del Indo está prácticamente destruida. Poco quedan de sus avances que serán descubiertos milenios después por los arqueólogos.

También se tiene la certeza de que entre 1700 y 1200 a.C. llegaron a la región pueblos nómadas, que se llamaban a sí mismos «arios». Esta palabra significa noble. Su procedencia sigue siendo todavía hoy en día un misterio. Se sabe que estos nuevos pobladores tenían rasgos diferentes a los de los primitivos habitantes del Indo. Probablemente eran originarios del sur de Asia central. Este gran grupo es conocido como indoeuropeo. De esta familia se escindirán diversos grupos como: los germanos, los celtas, los eslavos, los bálticos, los romanos, los griegos, los iraníes y los indios.

Seguramente, los arios llegaron a través de la altiplanicie iraní hasta el valle del Indo y luego alcanzaron el valle del Ganges. Se cree que se establecieron en esta región entre los años 1000 y 800 a.C.

Eran una civilización avanzada, muy superior a la que poblaba estas tierras. Los aborígenes no habían llegado a la edad del bronce, mientras que los arios ya disponían del hierro.

Los arios no eran como los mesopotámicos o los egipcios. Pese a sus avances, no eran un grupo unificado y no perseguían la creación de un imperio todopoderoso. Formaban pequeños reinados y no fue hasta mucho tiempo después cuando se plantearon formar un imperio.

Entrando un poco más en detalles, los hijos y nietos del indoeuropeo serían los siguientes.

LA CIVILIZACIÓN VÉDICA

Aproximadamente hacia el año 1500 a.C. los arios se habían asentado ya en Penjab. Se cree que entraron por el legendario paso de Khyber. Llevaban consigo un panteón de dioses primitivos, principalmente guerreros y masculinos. Algunos estudiosos creen que pese a que en sus orígenes era una religión sencilla, ya que albergaba un profundo misticismo que será el embrión que se desarrollará en los siglos venideros.

Algunos de estos dioses (como se verá en el capítulo dedicado a la mitología) sobrevivieron a la instauración del hinduismo. Pero, de todas formas, nunca más volvieron a ser divinidades principales ni a ser objeto de culto. Se trata de las deidades típicas de cualquier religión arcaica, que tienen como objeto explicar los fenómenos que el hombre no entiende. Así encontramos a Indra, dios de la tormenta o a Agni, divinidad del fuego. En realidad, los ídolos que representan los fenómenos atmosféricos son los primeros que aparecen en cualquier culto.

De hecho, se cree que ésa es precisamente la base de cualquier religión. El hombre se hace preguntas que no puede contestar: ¿por qué llueve?, ¿de dónde procedo? ¿por qué sale el sol?... Al no poder dar respuesta a estas cuestiones busca una explicación mística: y aquí nace la religión. La evolución posterior se bifurca en dos caminos: la ciencia se encarga de dar respuesta a los fenómenos y la filosofía al sentido de la vida. Es entonces cuando la religión cubre únicamente un espectro místico.

Pero nosotros estamos hablando de una época en la que no hay apenas ciencia ni filosofía y la religión ha de cubrir todas las dudas del hombre.

Poco se sabe de este «prehinduismo». Seguramente, se aprovecharon algunos ídolos Harappas y se aportaron otros que provenían de los pueblos indoeuropeos. Así se elaboró un culto arcaico que poco a poco fue evolucionando.

Los estudiosos de las religiones creen que ya había elementos como el culto fálico, la costumbre de bañarse en los estanques de los templos para purificarse y la meditación yóguica.

Sin embargo, es muy difícil dilucidar la importancia que tenían estos elementos en el culto. Lo que sí se sabe es que a diferencia de otras religiones primitivas, ésta tenía un componente más místico, una necesidad de saber qué había más allá del simple ritual. Todos estos elementos permitieron desarrollar uno de los cultos más filosóficos que existen en la actualidad.

El hinduismo y el sánscrito fueron, por lo tanto, dos factores que cohesionaron a esas tribus y les otorgaron el sentimiento de pertenecer a un grupo mucho más amplio. En esta época, se empezó a cultivar la literatura.

Los arios adoptaron la vida agrícola de los aborígenes y en muchos casos se mezclaron con ellos. Les aportaron, además de la nueva religión, dos elementos básicos que caracterizarán la cultura india: los caballos y el sánscrito. Con los caballos el transporte será mucho más rápido y por lo tanto habrá más contacto con otras civilizaciones. El sánscrito era una lengua mucho más evolucionada que la que tenían los pobladores de la región que posibilitará el desarrollo cultural.

También es una etapa de prosperidad y crecimiento. Se crea la identidad hindú, que se expande por todo el subcontinente. Se escriben las grandes obras épicas y se consigue un culto unificado que acompaña a un imperio emergente. Se cree que las epopeyas del *Ramayana* y el *Mahabharata*, ocurrieron alrededor de este período (1000 al 800 antes de nuestra era).

En esa época, estos pobladores aún estaban divididos en tribus y la jerarquía empezó a ser hereditaria. Habitualmente, el jefe del grupo tomaba las decisiones consultando a un comité o a toda la tribu. También se inició una especialización del trabajo. De esta modo se crearon cuatro grupos: los Brahmanes (sacerdotes), los Kshatriya (guerreros), los Vaishya (agricultores) y los Shudras (trabajadores). Éste fue el origen de las castas, pero en este momento de la historia no eran aún grupos cerrados. La pertenencia a un grupo u otro no era hereditaria, dependía de las habilidades de cada cual. Se trataba, por tanto, de un sistema flexible y abierto.

> Ésta es la etapa de desarrollo del hinduismo. Tanto la literatura como la filosofía acompañaron en sus primeros pasos a esta religión que acabó siendo el denominador común de todas las tribus arias.

PRIMER IMPERIO INDIO

En el siglo VI a.C. la India fue invadida por diferentes tribus que provenían del norte. Las más importantes fueron las de los escitas y los kusanas.

Es una etapa convulsa, de muchos cambios, pero también de muchas y diferentes aportaciones. Por una parte, se produce un importante proceso de sincretismo. Se adoptan diferentes cultos que se integran y acaban de matizar el hinduismo.

Paralelamente al crecimiento espiritual, también evoluciona la economía. Se instaura la propiedad privada y ello crea desórdenes y conflictos. Para prevenirlos, surge el poder organizado, el estado, que es el responsable de la seguridad de sus ciudadanos.

Con un aparato de poder, por llamarlo de alguna manera, es más fácil conseguir una unificación de la región. El norte de la India fue cohesionado por Chandagupta Maurya, el primer emperador indio. Su hijo

Bindussara amplió el imperio Mauryano por casi todo el subcontinente.

Sin embargo, esta casa real no fue siempre fiel al hinduismo. Uno de los descendientes, Ashoka *el Grande* consiguió vastas extensiones de tierra, pero la terrible visión de la guerra hizo que acabara convirtiéndose al budismo. No impuso la nueva fe a sus súbditos, pero hizo todo lo posible para popularizarla entre ellos.

En esta época el hinduismo deja de ser la religión única. Mahavira creó el jainismo y Buda alcanzó la iluminación. Sendas creencias predicaban la no violencia, la tolerancia y la autodisciplina. Estos valores se han convertido en la base de la cultura india. Ambas religiones fueron rápidamente aceptadas por que resultaban simples y fáciles de aplicar.

En el 327 a.C. Alejandro Magno cruzó la India noroccidental. Conquistó buena parte del subcontinente y tenía previsto seguir más allá. Sin embargo, sus militares, exhaustos de tantas batallas, le convencieron de que no siguiera adelante.

En las zonas conquistadas, dejó gobernadores, pero poco a poco perdieron el poder que volvió a las tribus indias. Pese a que la invasión fue efímera, sirvió para que las dos culturas entraran en contacto. El helenismo dejó una profunda huella en el arte indio. Las esculturas de la época, por ejemplo, tienen una visible influencia griega.

El imperio Mauryano empezó su imparable desintegración. Su declive sirvió para que tribus de Asia Central invadieran la India. Fue un período en el que surgieron pequeños reinos que no tardaron en desaparecer.

LA ETAPA DORADA

Con la dinastía Gupta (entre los años 320 y 540 d.C.) la India se constituye como un gran imperio. Se codifican

HINDUISMO, LA RELIGIÓN DE LOS MIL DIOSES

Detalle de la orilla del Ganges, el río sagrado en el que debemos buscar el origen del hinduismo.

las leyes sagradas, se edifican los templos más importantes y se constituye el culto y los rituales.

El fundador de este imperio, que era menos centralista que el anterior, fue Hahraha Gupta. Poco se sabe de esta dinastía feudal. Empezamos a tener noticias de su nieto Chandra, hacia el año 320, cuando es ya el soberano absoluto de una gran región india. El monarca se casó con la princesa Kuaradevi, heredera del reino de Lichchavis, lo que le permitió llegar hasta le región bengalí y la llanura del Ganges.

Es ésta una etapa de prosperidad. Los límites del imperio son cambiantes y dependen de las alianzas y los matrimonios de cada emperador.

A partir de la segunda mitad del siglo IV empiezan las batallas contra los hunos. Pese a que consiguen refrenar el ataque, el imperio queda herido de muerte. Finalmente, las luchas por la sucesión acaban facilitando la entrada de los hunos.

Durante la etapa de florecimiento, los maestros pueden dedicarse al estudio. Habitualmente, transmitían oralmente sus conocimientos a los alumnos. Pero llegó el momento en que resultó indispensable dejar constancia escrita de sus avances.

En un principio todos los libros sagrados y los cantos estaban escritos en sánscrito. Cuando esta lengua cae en desuso sigue empleándose en círculos concretos, ya que los hinduistas están convencidos de que es el idioma de los dioses.

De esta forma, y como se explicaba al principio de este capítulo, se recopilan los libros sagrados de esta religión. No importa la autoría, lo verdaderamente importante es conseguir que lleguen al mayor número de personas posibles.

Este período también es interesante porque supuso un gran avance cultural. La filosofía, la danza, la música, la pintura y la escultura alcanzan su mejor momento.

Paralelamente, se llevan a cabo importantes estudios astronómicos y matemáticos. Se descubre, por ejemplo, el valor del número Pi.

PERÍODO ECLÉCTICO

Tras la invasión de los hunos, el imperio se desmembró. Tras muchos esfuerzos, se consiguió expulsar al invasor, pero más difícil fue mantener la unidad de la que había hecho gala anteriormente el subcontinente.

Varias dinastías intentaron imponerse y batallaron durante siglos. Las más importantes fueron los Cholas, los Pandyas, los Cheras, los Chalukyas y los Pallevas. Los Chalukyas empezaron su dominio en el centro de la India y con el tiempo consiguieron extender su poder al norte.

Los Pallavas también tuvieron gran preponderancia y cultivaron un arte muy barroco. Ellos llevaron el hinduismo a Indonesia, Tailandia y Camboya.

Sin embargo, fueron superados por los Cholas, grandes arquitectos que han dejado como muestra de su paso templos como el de Thanjavur. Éstos también convirtieron al hinduismo a Sri Lanka, y algunas áreas de la península Malaya y Sumatra.

Los Cheras trajeron a esta región el Islam. Se les permitió practicar su religión, puesto que eran grandes navegantes y mejores mercaderes.

Se ha de tener en cuenta que ésta es una época en la que se producen los contactos más importantes con otras creencias. Los egipcios y los romanos ya han establecido rutas de navegación que les permiten llegar a estos territorios. Santo Tomás llegó a Kemarala a principios del primer siglo de nuestra era. Por tanto, el hinduismo entra en contacto con otras creencias muy diferentes. Hasta el momento, sólo había convivido con religiones orientales, que tenían una concepción del mundo muy similar a la suya.

Pero, se ha de tener en cuenta, que la influencia es mutua, es decir, que el hinduismo también influye en las otras religiones que entran en contacto con la suya. Sin embargo, lo cierto es que la doctrina hinduista resulta muy difícil de comprender desde la religión monoteísta. En ese período se crean una serie de tópicos en la forma de comprender este credo por parte de los occidentales. Muchos son los que aún tienen la idea de que es una fe basada en la idolatría. Otros creen que adoran al diablo, porque tienen dioses que encarnan el mal.

> Para muchos, este período supuso un auténtico retroceso en el *corpus* de la doctrina. Para otros, fue una forma de integrar otras visiones del mundo y reforzar su religión.

En este período, surgió un hinduismo muy flexible, nada rígido y profundamente ecléctico. Esta libertad provocó la aparición de innumerables sectas, muchas de las cuales siguen vigentes en la actualidad.

ETAPA MUSULMANA

La religión hindú y el modo de vida indio se convirtieron en un auténtico mito para sus vecinos. Se hablaba, por ejemplo, de fértiles tierras y grandes riquezas que se guardaban celosamente en los templos. Estos relatos tentaron a los vecinos árabes, que se dispusieron a invadir el país. Todo parece indicar que el pistoletazo de salida para la conquista árabe lo dio Mahmud de Ghazni hacia el año 1000. Varias escaramuzas le siguieron, pero no se puede hablar de una invasión musulmana propiamente dicha hasta el año 1192, cuando Mohammed de Ghori conquistó el Punjab y Ajmer e impuso un gobierno permanente. Se quedó a cargo de las tierras conquistadas uno de sus generales, Qutb-ud-din

Aibak, que expandió su poder y se convirtió en el sultán de Delhi. Él dio origen a la llamada Dinastía de los Esclavos, que mantenía estrechos contactos con los turcos, los afganos, los Khiljis, los Tughlaqs y los Lodis.

La cultura india estuvo, pues, muy influenciada por el Islam. Muchos son los hindúes que se pasaron en aquella época a la religión musulmana. La presencia de los árabes también influyó en el arte, la arquitectura, el diseño de la ciudad, las costumbres e, incluso, en la ética social. Los rasgos más visibles fueron la gastronomía y los vestidos. Se puede decir que en ese momento nació la primera cocina de fusión, que integraba platos de ambos países. También hubo un cambio en la vestimenta, que se volvió menos colorida. El lenguaje se vio afectado. Las lenguas de las tribus árabes cambiaron al entrar en contacto con los idiomas indios. En muchos casos siguieron empleando la escritura árabe, pero sazonándola con la fonética hindú. Algunas de estas lenguas siguen siendo idiomas de gran importancia en la India actual.

Las dos religiones se enfrentaron en momentos puntuales, pero la tónica general fue el respeto. El islamismo aportó el sentimiento de justicia, mientras que el hinduismo impregnó a los árabes de tolerancia. El hinduismo adoptó del Islam la sencillez y el sentido común. De este contacto, se derivaron algunas sectas. Por ejemplo, Gurú Nanak dio las normas para que sus seguidores fundaran la religión Sikh, que cuenta actualmente con muchos seguidores.

La armonía entre ambos credos alcanzó su máximo apogeo con el imperio mongol. Éste fue fundado por Babur (hacia el siglo XVI, aproximadamente). Su hijo, Akbar *el Grande*, se casó con una princesa hindú. Por su corte pasaron los intelectuales de ambas religiones. Se hicieron grandes investigaciones e importantes aportaciones artísticas.

Akbar fundó una religión que pretendía ser un compendio de hinduismo e Islam y a la que llamó Din-e-Ilahi. Fue una dinastía tolerante que protegió el arte, la literatura y la investigación. La mejor prueba de esta etapa la encontramos en el Taj-Mahal, construido en tiempos de Shahjehan, nieto de Akbar.

El hinduismo y el islamismo de esta época eran muy tolerantes. Ambas religiones pudieron convivir durante siglos y enriquecerse. Resulta sorprendente, puesto que *a priori* presentan una diferencia que las separa: una es politeísta y la otra monoteísta. Sin embargo, en vez de debatir sus diferencias, buscaron sus puntos en común. Ambas, en definitiva, quería dar normas sociales de fácil cumplimiento para conseguir que sus seguidores tuvieran una vida mejor.

Sin embargo, como todos los imperios, los mongoles también estaban condenados a desaparecer tras una larga agonía. Varias tribus atacaban constantemente su territorio, precipitando la anunciada caída.

Los más feroces fueron los marathas que provenían de la región de Maharashtra y empezaron sus ataques bajo la dirección del legendario líder Shivaji.

Los marathas, en un principio, se dedicaban únicamente al pillaje. Eras bandidos hábiles y rápidos, salían de la nada, saqueaban las ciudades y volvían a desaparecer. Con el tiempo, hicieron de sus ataques un próspero negocio. Cobraban impuestos para proteger regiones y así ya no tenían necesidad de delinquir. Llegaron a tener gran poder e incluso a ostentar el gobierno de algunas regiones. En otras, eran el gobierno en la sombra. Los mongoles estaban a su merced y obraban a su antojo.

Persia y Afganistán aprovecharon el declive mongol para atacar este país. Iniciaron varias ofensivas que sumieron al país en un caos en el que los gobiernos se sucedían sin que ninguno lograra imponerse de forma permanente. Estas luchas intestinas acabaron con el colonialismo inglés.

LA JOYA DE LA CORONA

Asia era un lugar mítico para los occidentales. La seda y las especias eran valoradas como auténticos tesoros por su exotismo en los países europeos. El espíritu mercantil, el afán de aventura y la evolución de la navegación se dieron la mano para conseguir que los europeos llegaran a estas tierras.

Británicos, franceses, holandeses y portugueses fueron asentando diferentes bases comerciales desde el siglo XVII. Las especias de Malabar ya habían atraído al portugués Vasco da Gama que en su mítica travesía alcanzó Calcuta en 1498. A principios del XVI los lusitanos se habían establecido en la colonia de Goa.

Se puede decir, por tanto, que los portugueses fueron los primeros en colonizar algunas regiones del subcontinente. Su dominio era únicamente comercial, pero entre los siglos XVI y XVII empezó a declinar, debido a la piratería.

La India se convirtió en el campo de batalla de los intereses europeos. Las rivalidades de los diferentes gobiernos indios y de los países occidentales hacían que se unieran para derrotar a sus enemigos. Cada región se aliaba con una potencia colonial para desbancar a sus enemigos. De esta forma, los indios no luchaban contra los invasores, sino que se unían con ellos para derrotar a los enemigos locales. Ello posibilitó que el gobierno de la India fuera una batalla por los intereses de los diferentes países europeos.

Tras la batalla de Plassey, en 1757, la victoria fue para el Reino Unido. Los ingleses, sin más rivales europeos, se anexionaron diferentes territorios o consiguieron el poder controlando a los rajás locales.

La Compañía Inglesa de la India Oriental no pretendía un dominio total de la India. No se impuso, por tanto, un imperio con un nuevo gobierno. Se aprovecharon las estructuras ya existentes y se manipularon en beneficio de los intereses económicos británicos.

No en vano la India era «la joya de la Corona» para los ingleses. De allí sacaban las materias primas a un coste muy bajo que permitían suministrar productos para la incipiente revolución industrial. Y no sólo eso, recaudaban abusivos impuestos que engrosaban las arcas británicas. Se obligó, también, a que los campesinos cambiaran los cultivos que les daban de comer por otros más exóticos y comerciales como el café, el té o el yute. Todo esto (impuestos y cambio de cultivos) desembocó en una de las hambrunas más terribles que se habían vivido en este territorio.

En el siglo XIX, la India era el motor económico de Gran Bretaña. Su dominio se expandió por todos los territorios del subcontinente. Los rajás administraban las zonas y servían a los ingleses.

La invasión británica sirvió para modificar algunas de las prácticas más arcaicas y, quizá, más crueles del hinduismo. En cierto modo, humanizó esta religión. Varias fueron las leyes que modernizaron este credo. Un decreto de 1823 acabó con los sacrificios de niños y niñas. Con la excusa de satisfacer a sus dioses, muchas familias se libraban de los hijos (y especialmente de las hijas) que no podían mantener.

En 1829 se prohibió la autoincineración de las viudas de las castas superiores. Éstas, al morir su cónyuge, se

---

En esta época, empezaron las misiones para convertir a los indios al catolicismo. El gobierno amparaba estas iniciativas, pero, primordialmente, solían partir de las mismas órdenes religiosas. Sin embargo, no había obligatoriedad de cambiar de culto. Los ingleses buscaban una relación comercial y sentían un total desprecio hacia las formas de vida hindú. Por ello, los católicos consiguieron captar algunos adeptos, pero el hinduismo nunca llegó a Occidente, pese al contacto de siglos que mantuvo con los británicos.

quemaban vivas para demostrar su pesar. En muchas ocasiones, eran empujadas a hacerlo porque los parientes no querían mantenerlas.

Tres años después, una ley impedía los asesinatos rituales que se cometían para satisfacer a Kali. En 1843 se dio otro paso adelante en el tema de los derechos humanos: se abolió la esclavitud. La revolución llegó con una de las medidas más polémicas que se adoptó en 1856: las viudas podían volverse a casar.

Las leyes británicas abogaron por la igualdad de todos los ciudadanos ante la ley. Es cierto que los indios seguían siendo ciudadanos de segunda al lado de los británicos, pero ese principio de igualdad quedaría ya inscrito en la conciencia colectiva.

La administración federal también fue otra de las bases que siglos después emplearía este país para conseguir la unificación. Lo más importante de todas estas medidas es que crean un estado separado de la religión. No se trata de un estado ateo, sino de un tipo de organización en el que la religión y el gobierno están completamente diferenciados.

EN BUSCA DE LA INDEPENDENCIA

Durante un siglo, las injusticias propiciadas por la dominación británica se acumularon. Los rajás vivían a costa de sus súbditos y tenían que explotarlos más de lo habitual porque también tenían que mantener a los ingleses.

Ello creó un sentimiento de animadversión hacia todo lo extranjero. Es ésta una etapa en la que el hinduismo se cierra a cal y canto. Ya no quiere ninguna aportación del catolicismo ni de ninguna otra religión. Cualquier intrusión es vista como una agresión.

Los grupos más revolucionarios, en muchos casos, serán hinduistas convencidos que no han cambiado su fe y que abogan por la vuelta a la tradición religiosa.

Los desmanes de los ingleses tuvieron respuesta en la Primera Guerra de la Independencia, en 1857. El promotor de la revuelta fue el último emperador mongol, Bahadur Shah, que consiguió que se unieran los nobles, los terratenientes y los campesinos. El gobierno británico sofocó la revuelta de forma brutal. El emperador fue deportado a Birmania, donde murió. Éste fue el final del dominio mongol en la India.

Pese a que la revuelta no consiguió sus objetivos, se crearon a su alrededor leyendas y se ensalzaron a sus héroes. En definitiva sirvió para que hinduistas y árabes se unieran para combatir al invasor extranjero.

Los ingleses, sin quererlo, pondrán los cimientos de la unidad de la India. Por ejemplo, un hecho muy importante fue la construcción del ferrocarril. De esta forma, podrían transportar las materias primas a los puertos. Sin embargo, al acortarse las distancias, se crea la conciencia de que las diferentes poblaciones forman parte de una unidad. Es posible poner el contacto diferentes colectivos que tienen un ideal común: la independencia.

Los británicos no podían dominar físicamente una población tan extensa como es la India. Por ello, lo que hacen es instruir a los capitostes hindúes, darles una formación occidental, introducirles en su cultura. Sin embargo, esto que en principio tendría que ser una forma más de dominación, también se vuelve en su contra. La cultura occidental sirve para que interioricen valores como la individualidad, la libertad, la autodeterminación o la democracia. Todos ellos, bastante contrarios al imperialismo que ejercían. En consecuencia, la clase india instruida por los ingleses es la que abanderará, a partir de este momento, todas las reivindicaciones independentistas. Como exponente de este sentimiento, en 1885 se crea el Congreso Nacional Indio.

Esto también influye, por supuesto, en la religión. Las corrientes cientificistas relativizan el sentimiento religioso. Además, la unión con los musulmanes hace que la religión pase a segundo plano, para evitar los puntos de fricción. Por ello, el hinduismo, durante las luchas por la independencia, no ocupa un lugar central. El pueblo indio no se une por la fe, sino por el propósito de echar a los ingleses.

Sin embargo, en este panorama un tanto laico, surge un personaje que le devuelve el esplendor a la religión y que hace que sea conocida de forma positiva en todo el mundo. Nos referimos a Mohandas Karamchand Gandhi, uno de los líderes más importantes de la India y seguramente del mundo entero. Gandhi, de origen indio y educado según las normas británicas, había sido abogado en Suráfrica. Allí había organizado la comunidad india para protestar contra el *apartheid*. Allí había estrenado la protesta pacífica, la llamada *Satyagraha*, que significa algo así como dominación moral.

Su carácter pacífico y su gran sabiduría le valieron el título de *Mahatma*, que significa gran alma. Gandhi era un hinduista convencido, pero también estudió el budismo. Fue muy respetado por todos los indios, fuera cual fuera su religión. Su filosofía se basó en la tolerancia, la hermandad entre todas las religiones, la *ahimsa* (no violencia) y la sencillez. Su modo de vida intachable hizo que todos estuvieran de acuerdo en que él debía ser el líder del Congreso. Fue un ejemplo a seguir por todos los independentistas y consiguió que su causa fuera apoyada por la comunidad internacional.

Bajo el lema de la no violencia se consiguió el movimiento de no cooperación y el de desobediencia civil. Los indios no se revelan con armas, simplemente se niegan a obedecer las órdenes que reciben por parte del gobierno británico para demostrar su desacuerdo con la colonización.

La lucha por la independencia también cambió algunos de los valores sociales hindúes. Las mujeres se integraron en el movimiento y por tanto consiguieron que se reconocieran algunos derechos que hasta ese momento les eran negados. Dentro del independentismo destacó la intervención de mujeres como Sarojini Naidu, Aruna Asaf Ali y Bhikaji Cama que lucharon tanto por la independencia como por la paridad de género.

> Sin duda, si se hubiera de nombrar un embajador del hinduismo en el mundo, este título recaería en Gandhi. Hasta su aparición, la mayoría creía que era una religión llena de supersticiones e idolatría. Sin embargo, la envergadura del Mahadma sirvió para cambiar la visión que se tenía hasta aquel momento sobre el hinduismo.

Las huelgas de hambre de Gandhi, sus protestas no violentas y la deteriorada imagen de los británicos en la India ponían de manifiesto que la situación no podía continuar así.

El desgaste que sufrió Inglaterra durante la Segunda Guerra Mundial fue definitivo para tomar la decisión de retirarse la India. En este período, como ya se ha comentado, la política le tomó la delantera a la religión. Ésta pasó a ser un tema secundario. ¿Qué lugar ocuparía en el Estado que estaba a punto de formarse? Ésta era una pregunta cuya respuesta sería mucho más importante de lo que puede parecer *a priori*.

INDIA INDEPENDIENTE

El proceso hacia la independencia fue largo y costoso. Además de la vía filosófica de Gandhi, también hubo independentistas que optaron por vías menos pacíficas como fue el terrorismo.

Todos estos grupúsculos estuvieron unidos por el ideal común de expulsar a los británicos. Sin embargo, cuando lograron su objetivo, las diferencias entre las diferentes tendencias se hicieron palpables y en algunos casos se saldaron con atentados, revueltas e incluso pequeñas guerras.

Se podría dedicar un libro entero a hablar de este proceso, sin embargo, a la hora de abordar el tema del hinduismo, resulta un tanto accesorio, puesto que no influyó en el culto.

Para resumir, tengamos en cuenta que desde el 15 de agosto de 1947 la India es ya un país independiente. La constitución de este Estado fue uno de los acontecimientos cruciales del siglo XX.

Los padres de la Independencia estaban en contra de la invasión extranjera, pero consideraban que el modelo británico era válido. Es decir, no querían volver a la tradición sino que querían modernizarse y convertirse en una democracia muy parecida a la inglesa.

Esta decisión fue larga y costosa. Había opiniones disidentes, que querían imponer un modelo arcaico, basado en la tradición anterior a la invasión británica. Pero ello hubiera sido, sin duda, dar un paso atrás. Así que se miró al futuro y se creó un Estado democrático. La India volvió a demostrar su carácter ecléctico, su capacidad para quedarse con lo mejor de cada país con el que ha tenido contacto.

Así, se mantuvo dentro de la Comunidad Británica de Naciones (la famosa *Commonwealth*) y adoptó el sistema de democracia parlamentaria del país que la había dominado durante siglos. Se aprovecharon las instituciones administrativas, judiciales y educativas, pero se cambió la filosofía de las mismas.

La Constitución aprobada el 26 de enero de 1950 prohibe cualquier tipo de discriminación ya sea por religión, sexo o raza. Se garantiza la libertad de expresión y de culto religioso. También se avala la libertad de escoger cualquier oficio y de adquirir cualquier propiedad. Esto es especialmente importante, puesto que deja sin vigencia legal el sistema de castas, que con la excusa de un hinduismo mal entendido se había impuesto.

En la actualidad y sobre el papel, la India es la democracia más grande del mundo y un ejemplo a seguir por muchos países asiáticos. ¿Continúa siéndolo cuando pasamos de la teoría a la práctica?

La tendencia más extendida es la de culpar al hinduismo de casi todos los problemas que tiene en la actualidad la India. Sin embargo, se ha de señalar que no es la religión en sí, sino el mal uso que de ella se hace, lo que provoca algunas de las lacras de esta democracia.

La principal y más conocida es sin duda el sistema de castas. Éste ha sido abolido sistemáticamente por diferentes leyes, pero sigue arraigado en muchas áreas del país. Pero ésa no es la única problemática. Las clases adineradas consiguen que sus hijos tengan una mejor formación, normalmente en el extranjero. Sobre estas nuevas generaciones ilustradas tendría que recaer la responsabilidad de crear un orden social más justo, pero en muchos casos su prioridad es la de hacer dinero de la forma más rápida posible, como han aprendido en los países capitalistas desarrollados.

Por otra parte, también se debe entender que la India es uno de los estados más complejos que hay en todo el mundo. Para muestra un botón: en ella se hablan entre 1.500 idiomas y dialectos. La densidad de población es enorme, lo que acaba traduciéndose en hambre y pocas esperanzas en el futuro: el 30 por ciento de la población vive en el umbral de pobreza. El analfabetismo es elevadísimo y las posibilidades de escolarización para las clases marginales es ínfima.

A nadie se le escapa que son urgentes medidas sociales y educativas para cambiar este panorama. La religión no puede cargar con la responsabilidad de todos estos problemas. Sin embargo, algunos movimientos consiguen que se la culpe de todos los desastres. Por ejemplo, algunos partidos políticos abogan por el *Hindu-Rashtra* (el Estado Hindú) que pretende acabar con la democracia. Es una forma más de instrumentalizar la religión con fines lucrativos.

En medio de este panorama, la clase media ha conseguido, por ejemplo, liberarse del estigma de las sociedad de castas y ser una de las mejor asentadas. Esta mejora demuestra que no es la religión el principal problema sino la mala distribución del dinero.

Por lo tanto, no se puede acusar a la religión hinduista de los problemas que atraviesa este país. Algunos intentan beneficiarse de ella para imponer medidas injustas. Pero detrás de estas acciones, en pocas ocasiones se esconde una profunda e intransigente religiosidad sino intereses económicos muy concretos.

En agosto de 1997, fue elegido presidente de la India K.R. Narayanan. La decisión no podía ser más sorprendente ni rompedora: el presidente era un «sin casta» y estaba casado con una cristiana. Fue una lección de democracia para aquéllos que creían que el hinduismo seguía rigiendo en la vida política del subcontinente. En su discurso de investidura, el presidente dejó clara la situación de su país: «India tiene el singular honor de mostrar al mundo que no sólo de pan vive el hombre. Los valores culturales, morales y espirituales fueron siempre los pilares de nuestra sociedad. Y es precisamente ahí donde la India se enfrenta con el mayor reto, debido al debilitamiento en nuestra vida pública de esa estructura básica, moral y espiritual. Los males del comunalismo (mentalidad del grupo étnico), de la estructura de castas, de la violencia y sobre todo de la corrupción son la ruina de la sociedad india actual».

HINDÚ E HINDUISMO

Para acabar este apresurado repaso histórico, se impone comprender qué significan los términos hindú e hinduismo en la actualidad. En un principio, hindú e indio significaban lo mismo. Era el término que empleaban los griegos que habían llegado al Indo con Alejandro Magno para referirse a los habitantes de aquellas tierras. Los musulmanes emplearon este término para designar a los pueblos de Asia del sur, en concreto los que no se habían convertido al Islam.

A partir del siglo XIX los británicos designan hinduismo a la religión y cultura de los indios que no eran ni musulmanes, ni jaínes, ni parsis ni cristianos. No se trataba tan sólo de designar a la religión, sino a toda la cultura y el imaginario de los hindúes.

> Actualmente, el hinduismo convive con otros cultos. Hay 110 millones de musulmanes (el 11 por ciento de la población) y 20 millones de cristianos (el 2,4 por ciento). El 2 por ciento son sij, el 0,5 por ciento jainí, y el 0,7 budista. También existe un colectivo judío, pero se desconoce el número exacto.

En la actualidad, para definir hindú es más fácil empezar por lo que no lo es. Así podríamos decir que un hindú es un indio no musulmán, no cristiano, no judío, no sij, no jainí y no budista. Una quinta parte de los indios no son hindúes. Por lo tanto, podríamos convenir que hindú es el que comparte la cultura hinduista, independientemente de si es practicante de la religión o no.

En este sentido, hinduismo sería la forma correcta de designar a la religión, aunque también tendría una acepción mayor, en la que se podría integrar tradiciones culturales y una visión que van más allá de la creencia.

De todos modos, los practicantes del hinduismo no están muy de acuerdo con este término. Ellos prefieren llamar a su credo *sanatana dharma,* que significa orden eterno.

MITOLOGÍA HINDÚ

Lo primero que llama la atención cuando uno se acerca a la religión hindú es la cantidad de dioses que posee y las múltiples historias que estos protagonizan.

Muchos estudiosos de las religiones distinguen entre dos tipos de religiones: las que se basan en las leyendas de sus dioses y las que explican la relación de los mortales con sus divinidades. Esta clasificación admite, por supuesto, matices. La mitología griega, por ejemplo, ensalza las gestas de los dioses pero también explica su contacto con los humanos. Sin embargo, la mayoría de los estudiosos de la materia conviene en que en este culto se prioriza el enfoque de los dioses.

Para muchos, el hinduismo explica el mundo a través de sus ídolos. Por ello, tienen una gran importancia el papel que representan los dioses en su visión del mundo. De todas formas, y como se verá en el capítulo dedicado a la filosofía, la diferencia con otras mitologías es que el hinduismo propone un orden cósmico muy elaborado y

> La representación de los dioses ha sido una de las principales formas de expresión artísticas de los hindúes. La pintura y sobre todo la escultura han escogido la religión como fuente de inspiración. Esto ocurre en casi todas las culturas del planeta. Los griegos ya representaban a sus divinidades y el románico o el gótico, por ejemplo, no se pueden entender sin conocer la historia sagrada.

profundamente místico. Es decir, no ofrece las aventuras épicas de los dioses, sino que a partir de éstas crea un *corpus* filosófico muy erudito.

De todas formas, para acercarse al hinduismo, es necesario conocer a sus dioses. El prolífico panteón hindú está lleno de mitos y leyendas donde el mal y el bien admiten matices y la leyenda y la parábola, en muchos casos, se dan la mano.

Por ello, en este capítulo, abordaremos las biografías de los diferentes dioses hindúes. Pero antes de sumergirnos en el mítico panteón, será necesario poner cada cosa en su sitio y entender qué papel juegan los dioses dentro del hinduismo.

EL FALSO POLITEÍSMO

Las primeras imágenes que llegaron a Occidente de la religión hindú fueron las realizadas con metales preciosos que representaban a dioses y hombres ofreciendo sacrificios humanos a esos ídolos. Esa estampa nos presenta una religión cruel y llena de supersticiones y nos pinta un fresco bastante terrible del hinduismo.

Es cierto que hace muchos siglos se honraba a los dioses con sacrificios humanos, como ocurrió en muchas otras religiones, pero también es verdad que esas prácticas fueron prohibidas hace siglos.

En cierta forma, esta representación del hinduismo, como una religión llena de dioses, provoca una rápida animadversión desde las religiones occidentales. Tanto el judaísmo, como el cristianismo y el Islam reniegan de la existencia de más de un Dios. Todos tienen una base común, la historia de Moisés. En esos tiempos, la idolatría era la forma más fácil de abandonar el credo que predicaba. Por lo tanto, los libros sagrados de estas tres religiones estaban llenos de arengas contra el culto a más de un Dios. Eso ha llevado a que el sentimiento en contra de la idolatría fuera muy fuerte y calara hondo en la cultura de las tres creencias.

Éste ha sido uno de los principales escollos que ha tenido que vencer el hinduismo para ser entendido por Occidente.

La religión hindú siempre ha sido considerada la doctrina politeísta por excelencia. Desde cualquier religión politeísta, la profusión de imágenes y de esculturas hace que sea vista como un credo asentado fuertemente en la idolatría.

A priori, eso es lo que parece cuando cualquiera se asoma al panteón hindú. Los hinduistas tienen contabilizados un total de 320 millones de dioses. Un número bastante espectacular incluso para las religiones basadas en la mitología de sus deidades.

¿Debe un hindú adorar a todos estos dioses? Evidentemente no. Simplemente conocer sus nombres sería un ejercicio de memoria imposible para cualquier creyente. Cada uno escoge sus dioses y prepara sus altares para adorarlos. Los criterios son variados. Cada región tiene sus ídolos locales. Cada familia puede tener también una divinidad hogareña. Asimismo, dependiendo de la actividad que se desempeñe se rendirá culto a una u otra deidad. Por ejemplo, los campesinos homenajearán a los dioses que tienen que ver con los cambios climáticos.

En la India hay altares por todas partes. Además de en el templo, cada familia tiene uno en su casa. Como el transporte es tan lento, también existen algunos en los autobuses y en otros medios de transporte. Asimismo, también se pueden encontrar en algunas tiendas y establecimientos de todo tipo.

Esto nos hace imaginar un culto supersticioso, lleno de figuras idolátricas que exigen un culto concreto. Sin embargo, si nos libramos de los prejuicios, podremos darnos cuenta que en el fondo esta religión no es tan diferente a, por ejemplo, la cristiana.

Existen tres dioses principales, que son Brahma, Vishnú y Shiva. El resto son Vedas, es decir, dioses de segundo orden, que influyen en parcelas concretas de la vida cotidiana. Estos no interfieren en el orden cósmico, sólo tienen poder en áreas específicas.

> El budismo y el hinduismo se diferencian en la concepción de los dioses. Para el budismo, cualquier divinidad puede ser adorada si ello sirve para facilitar la meditación y para inspirar al creyente. En este sentido, el hinduismo se desmarca, pues existe un culto más pautado para cada una de las deidades. De todas formas, el concepto básico es semejante: cualquier dios resulta efectivo en la medida que ayude al creyente.

Muchos comparan los Vedas a los santos o a los ángeles del cristianismo. Por ejemplo, el dios local podría ser algo así como el patrón de la ciudad. Y el dios de la lluvia una versión de Santa Bárbara. De este modo, el mito politeísta hace aguas. Los hindúes no tienen un panteón de dioses tan complejo y dictatorial, sino que se encomiendan a cada uno de ellos en momentos concretos como los cristianos hacen con los santos.

Éste es uno de los grandes debates que se aborda cuando se habla de hinduismo. Las creencias modernas vienen a considerar que no se trata de una religión politeísta. De hecho, algunas escuelas reformistas abogan simplemente por el culto a los grandes dioses (Brahma, Vishnú y Shiva) y consideran el resto como parte más de la tradición que de la propia religión.

Los hindúes, como se verá en el capítulo dedicado a la filosofía, también creen en la unidad y en el orden

Brahma, es uno de los dioses principales dentro del hinduismo. Recibe el arquetipo de divinidad creadora.

cósmico. Por lo tanto, su universo de creencias se conforma alrededor de realidades inmutables, que la mayoría de los dioses no pueden cambiar. Esto también los acerca a un monoteísmo, al menos desde un punto de vista filosófico.

El politeísmo puro se encuentra, por ejemplo, en algunas tribus africanas, que consideran que el mundo está sometido a los continuos cambios de los dioses y que por ello se les tiene que honrar. También encontramos esta concepción en las religiones amerindias. La diferencia sustancial es que creen que casi todos los dioses tienen el mismo poder y por tanto los humanos están sometidos constantemente a sus cambios y sus luchas internas.

ORIGEN DE LOS DIOSES

¿De dónde proviene ese vasto panteón hinduista? ¿Cuándo se incorporaron todos esos dioses hasta llegar a contarse por millones? Ésta es la pregunta que cualquiera se plantea cuando se acerca por primera vez al panteón hindú.

La respuesta es compleja y se pierde en la noche de los tiempos. Se cree que hay una primera hornada de dioses, que son los que tenían las tribus aborígenes del Indo. Después, con la invasión indoeuropea es muy probable que hubiera un tiempo de sincretismo, en el que los diferentes ídolos se fusionaran.

Así habría aparecido un primitivo panteón que se fue ampliando en los sucesivos siglos. La India estuvo en contacto (ya fuera por razones comerciales como por invasiones) con muchísimas culturas. Todas ellas debieron dejar alguno de sus dioses como legado de su paso por aquella área.

Cuando una religión admite la existencia de más de un Dios, aunque sean de segunda categoría, no está cerrada al influjo de las deidades de otros credos. Por ello, resulta mucho más fácil adoptar aquellas divinidades que fueran más populares entre otros pueblos.

Por otra parte, se ha de tener en cuenta que la India es un vasto territorio en el que se hace difícil la conexión de unas localidades con otras. Por ello, no se crea un panteón unificado. En cada área se honra a dioses propios, que pueden ser semejantes a los de otras regiones geográficas, pero que tienen sus propias particularidades. Por ello, cuando se unifica la India, todos esos dioses se suman. Nunca se elimina uno en favor de otro similar, porque eso supondría herir las sensibilidades de una zona concreta.

Por ello, el panteón hindú se ha de entender como la suma de todos los dioses, tanto de las diferentes regiones como de las diferentes culturas que tuvieron contacto con la India.

Por último, y para complicar aún más la cuestión, nos encontramos con el tema de la reencarnación. El ciclo vital que incluye la reencarnación es igual para todo el universo: para los dioses, para los humanos, para los animales y para los seres inanimados.

Por tanto cada dios tendrá los llamados «avatares». Es decir, que se reencarnará en diferentes ocasiones, dando así origen a otros dioses que también se integran en la lista de divinidades. Por tanto, por cada dios, tenemos muchos más que son el mismo, pero son diferentes, puesto que representan otro avatar.

Los dioses, asimismo, resultan mucho más complejos de lo que puede parecer. Todos poseen una parte masculina y otra femenina. La femenina suele ser la demoníaca, la más destructora y en muchas ocasiones es conocida como *Devi*.

Como ocurre en la mayoría de las mitologías, los dioses viven en una especie de cielo (una suerte de Olimpo).

Es lo que llaman el cielo elevado, el *Brahma-Loka*, que se sitúa en la cima de una montaña inaccesible para los humanos que se llama monte Meru.

En el budismo, se dice que cualquier alma será, en una de sus reencarnaciones un dios. En cambio, esta posibilidad no existe en la mayoría de las escuelas hinduistas. Los dioses y los humanos estarán siempre separados.

Sin embargo, los dioses no están siempre ahí. En muchas ocasiones bajan a la Tierra y se mezclan con los humanos. Eso hace que sean muy familiares y que puedan ser muy queridos por los que los veneran. Los dioses, en general, se representan como súper humanos. Tienen poderes muy superiores a éstos, pero también pueden experimentar sentimientos similares a los que sufren los mortales.

TRINIDAD HINDUISTA

Antes de iniciar el análisis de los principales dioses, tenemos que hacer una parada obligada en lo que muchos han llamado la trinidad hinduista. Como ya se ha comentado, existen tres dioses que tienen poderes superiores al resto. Se trata de Brahma, Vishnú y Shiva. Creador, conservador y destructor, respectivamente.

En cierta forma, estos tres dioses representan los tres estados del universo. Por ello, algunos creen que juntos forman un concepto unitario y que separarlos es únicamente una forma de conseguir que los fieles entiendan los estadios de la vida.

Los tres dioses dan sentido al universo. Son complementarios, configuran la unidad cósmica. Uno no tiene sentido sin el otro. Se equilibran entre sí, formando el mundo tal y como lo conocemos. Es importante entender este concepto antes de analizar la personalidad de cada uno de ellos. Si no, resulta muy difícil comprender su función y su culto.

Lo que más sorprende para muchos es que se rinda homenaje a la destrucción. Si se aborda el culto a Shiva de forma independiente, puede parecer algo así como una secta satánica, pero dentro de la trinidad se entiende que para que haya creación es necesaria la destrucción.

> Brahma era en un principio el único dios. Con las reformas posteriores Vishnú y Shiva ganaron protagonismo para conformar, finalmente, esta trinidad hinduista.

Ésta es una de las claves para entender las grandes religiones orientales. No hay nada que sea bueno o malo por sí mismo. Todo está al servicio del orden cósmico y por tanto desempeña su función sin que ello comporte una carga ni negativa ni positiva.

Esta tríada ha sido comparada en muchas ocasiones a la Santísima Trinidad. Dios Padre, Hijo y Espíritu Santo son las tres formas de representar lo Absoluto, lo Divino. Sin embargo, los cristianos se oponen a este planteamiento. Algunos ven la comparación como un sacrilegio, por lo que se ha pedido que en muchas representaciones de las tres divinidades se borre la palabra «trinidad», para evitar los malos entendidos.

A continuación, profundizaremos en la vida y milagros de estas deidades, haremos un repaso al resto de dioses de cierta importancia dentro del culto y, por último ofreceremos una lista más resumida de otros ídolos que no tienen tanta importancia dentro de esta religión. Evidentemente, se trata de una selección, pues sería imposible hablar en este libro de los más de 300 millones de dioses que tiene esta religión.

BRAHMA

Es el dios creador del Universo. Algunas teorías consideran que podría ser muy parecido al Dios judío y que después, el culto se amplió a otros dioses. Se cree que es el dios más arcaico de todo el panteón.

Se suele representar con cuatro cabezas y cuatro brazos. La leyenda explica que de su boca salieron los cuatro Vedas (los libros sagrados del hinduismo), por ello en muchas ocasiones aparece con cuatro libros en las manos. También se cree que cada una de sus bocas recita constantemente uno de los Vedas.

> La vida sólo es posible si Brahma no duerme. Si echa una cabezadita, todo muere. Sin embargo, no hay que preocuparse demasiado porque eso ocurra, ya que los días del dios duran ocho billones de años.

En algunas representaciones lleva un recipiente que emplea para crear vida, un rosario de cuentas para contabilizar el tiempo y una flor de Loto, que significa la creación.

Este dios se transporta de un lugar a otro a lomos de una oca, por lo que en ocasiones puede volar o atravesar grandes distancias en muy poco tiempo.

Brahma es el agente de Brahman, que es el ser absoluto dentro de esta religión. Está casado con Sarasvati, pero los hijos no salen del cuerpo sino de su mente.

Para muchos Brahma no es un creador en el sentido en el que otras religiones consideran que deber serlo. Es un demiurgo, es decir, no es un arquitecto sino que es un constructor.

Brahma no suele interferir en los asuntos de los dioses y en muy pocas ocasiones en los de los humanos. Existen algunas excepciones, pero son las menos. Ese concepto de dios lejano es quizá el que le ha hecho perder muchos adeptos, en comparación a otras deidades mucho más atentas a los problemas de los mortales. En la actualidad casi nadie es devoto de este dios. En su honor se conserva un templo en Rajashtán.

VISHNÚ

Es éste uno de los dioses más queridos y adorados por los hindúes. Está presente en casi todos los templos y aparece en muchos altares familiares.

Al igual que Brahma tiene cuatro cabezas y cuatro brazos. En cada uno de ellos sostiene un símbolo. El mazo simboliza el poder que ostenta. La flor de loto representa la pureza que tiene esta divinidad y que debe ser la que adquieran sus seguidores. La caracola recuerda que al soplar por ella se produce un sonido muy similar al de la creación del universo. Por último, tiene una rueda dentada, que es una terrible arma capaz de abatir a cualquier enemigo.

Vishnú ha tenido ya nueve reencarnaciones y los hinduistas esperan la décima, que según dicen sus libros sagrados será en forma de guerrero. Algunos creen que con su vuelta, acabará el mundo. Otros, en cambio, piensan que se instaurará un nuevo orden social en el que los hombres podrán vivir en paz.

Las tres primeras reencarnaciones fueron en forma de animal, concretamente fueron pez, tortuga y jabalí. La cuarta fue una mezcla de animal y humano y a partir de ese momento, siempre vino a la Tierra como hombre. En sus avatares humanos encontramos que en el noveno fue Buda. De esta forma, se reconoce a la otra gran religión de la India, pero se le da una interpretación muy diferente a la que tienen sus seguidores. Buda sería una reencarnación del dios, una idea que los budistas rechazan de lleno. Para ellos Buda es un Iluminado, un humano que ha conseguido conocer el mundo como es realmente y no como se representa. Por ello, nunca pueden adorarle como si fuera un dios, sino como a un guía espiritual.

Vishnú se desplaza a lomos de Garuda, un animal mítico que es medio hombre medio águila y que tiene poderes semejantes a la oca de Brahma. Es devorador de serpientes y rey de los pájaros. Asimismo, fue el padre de los siete sabios, conocidos como Rishis.

No se sabe con exactitud cómo se inició el culto a Vishnú. En los Vedas aparece como un dios menor relacionado con Indra. Sin embargo, se hizo muy popular y finalmente pasó a formar parte de la trinidad hinduista.

Vishnú, así como sus avatares, son siempre representados con el color azul. En el culto, hay muchos elementos de esta tonalidad para honrar al dios. Vishnú posee seis glorias divinas que le hacen: omnipresente, soberano, potente, energético, inmutable y resplandeciente.

SHIVA

Muchos mitos rodean a Shiva y algunos creen que es un dios cruel, pues es el encargado de la destrucción, pero en realidad no es así, aunque algunas de sus representaciones sean demoníacas. Este dios no es despiadado ni causa la muerte de los seres humanos. En los días de los dioses (que como se ha señalado anteriormente duran ocho billones de años) Brahma crea el mundo, Vishnú lo sostiene y por la noche, cuando Brahma duerme, Shiva lo destruye, para que pueda crearse de nuevo. De esta forma se establece el ciclo vital.

Shiva también es representado como asceta y maestro de yoga. En esta faceta acostumbra a llevar el pelo largo recogido en un moño, un taparrabos, rayas en la frente y ceniza esparcida por todo el cuerpo. Sus seguidores son los «sadus», algo así como los santones. Éstos adoptan la misma apariencia de su dios.

En Benarés es donde es más habitual la adoración al dios Shiva. Cuenta la leyenda que la ciudad fue fundada por esta divinidad. Se encuentran altares y ofrendas a Shiva por todos los rincones de Benarés. También hay muchos templos dedicados a la deidad. En ellos suele haber una columna denominada *lingam*. Es el falo de Shiva que simboliza la fertilidad. También hay múltiples amuletos fálicos para premiar a las familias con una numerosa descendencia.

De todas formas, seguramente, la representación más conocida de Shiva es la del baile cósmico que simboliza la fuerza vital. En esta imagen, aparece con un pie en el suelo, el otro en el aire y abrazando un círculo de fuego. Sobre su cabeza a veces encontramos a la diosa Ganga, que representa al Ganges. En hindú, los ríos son siempre femeninos. A veces, también sostiene un tridente, que representa la trinidad.

Esta representación de Shiva bailando se conoce como *Shiva Nataraja*, que significa el rey de la danza. Su baile es el final de una era y el inicio de otra. Significa el

---

Los primeros cristianos que visitaron la India creyeron que los seguidores de Shiva eran algo así como una secta satánica. Parece ser que hace muchos siglos y en algunas regiones concretas es posible que honraran al dios con sacrificios humanos. Seguramente, los primeros cristianos oyeron hablar de estas historias y no pudieron comprender porque se veneraba a una deidad que representa la destrucción. Todo ello, dio origen a muchas historias con poco fundamento. Esta visión tan común en Occidente se pone de manifiesto en la película «Indiana Jones y el templo maldito».

movimiento del universo. Pero esa destrucción no es negativa. Shiva arrasa el mundo ilusorio, de forma que podemos acceder al verdadero, al que nos lleva a un estadio más elevado. Por ello, en algunas ocasiones, durante su baile pisotea a un demonio que representa la ignorancia en la que vivimos.

Habitualmente se representa a Shiva con tres ojos. El tercero simboliza una conciencia superior, puede ver cosas que el resto de seres no pueden percibir. Cuando se coloca de forma vertical, se convierte en una terrible arma capaz de destruir a cualquier enemigo. Cuenta la leyenda que Shiva consiguió su tercer ojo cuando su mujer, Parvati, le llenó los otros dos de arena. Eso estuvo a punto de acabar con el mundo, puesto que se interrumpía el ciclo cósmico. Por ello, Shiva consiguió un ojo más que a la vez le dio nuevos poderes.

Esta es la cara amable de Shiva, pero como ya hemos dicho tiene otra que no lo es tanto. Es habitual encontrar a este ídolo en los campos de batalla. Su encarnación más temible es la de Bahirava. La escultura más conocida de esta representación es la que se encuentra en Katmandú. Bahirava tiene unos temibles colmillos, lanza llamas por los ojos y lleva un collar hecho de cabezas humanas.

KRISHNA

Es otro dios muy querido entre los hindúes, con un culto muy arraigado. Se trata de una de las reencarnaciones más comunes de Vishnú. Cuenta la leyenda que cuando nació, predijeron que acabaría con la vida de su tío, que era el rey. De hecho, ésta era la misión de Krishna cuando vino al mundo: debía acabar con el terrible rey Kamsa. Éste, cuando supo que moriría a manos de uno de sus sobrinos, mandó que los mataran, pero su padre consiguió salvarlo sólo a él, entregándoselo a una familia de pastores para que lo cuidaran.

Krishna es extraordinariamente bello y posee una atractiva piel azul que seduce inmediatamente a las mujeres que se cruzan en su camino. Se cuenta que a los once años ya había tenido innumerables amantes y que de mayor llegó a tener 18.000 concubinas.

De pequeño, le escondía la ropa a las pastoras cuando éstas se bañaban. Así podía verlas desnudas cuando éstas salían del río. Este es un cuadro que aparece en muchas representaciones del dios.

> El culto a Krishna es uno de los más alegres que existen en la India. Predomina el disfrute de la vida y del sexo. Krishna es un ideal a seguir: el hombre que conquista a las mujeres y que además es un gran guerrero. Es el paradigma del aventurero. Algunos creen que su historia es muy similar a la de Baco, que también tuvo que ser escondido por sus padres y se crió en otra ciudad que no era la suya.

Krishna tocaba la flauta y su música seducía a cualquier mujer. Él se entregaba a los placeres de la carne. De todas las que pasaron por su vida la más importante fue Radha, una mujer decente y casada que no pudo resistirse al atractivo del dios. Ella es la que más aparece en todas las biografías de Krishna. Estuvo a punto de perder la razón, pues no soportaba la promiscuidad del hombre al que amaba locamente.

Además de ser un gran vividor, también fue un incomparable guerrero. Luchó y derrotó a muchísimos demonios y finalmente, como había dicho el oráculo, acabó con su tío, el terrible rey que oprimía a su pueblo.

RAMA

Éste es otro de los avatares de Vishnú. Su veneración es menos popular que la de Krishna. Ambas reencarnaciones aparecen en el libro épico *Ramayana*. Este es uno de los manuscritos más importantes del hinduismo. Para hacernos una idea, duplica en extensión a la *Ilíada* que es la cumbre de la cultura griega. Está escrito en sánscrito y data del año 1500 o 1250 a.C.

Rama es el príncipe heredero, pero su padre prefiere que su sucesor sea otro de sus hijos. Rama, al ver que no es bien recibido en palacio, decide no contrariar a su progenitor y se va a vivir al bosque. Le acompañan su esposa Sita y uno de sus hermanos, que no quiere abandonarlo a su suerte.

Una vez instalados en el bosque, permanecen durante catorce años en el exilio, pero las desgracias no concluyen ahí. El terrible rey Ravana rapta a Sita y se la lleva a Ceilán. Éste monarca es un terrible demonio de diez cabezas.

Rama no puede vivir sin su mujer y va a rescatarla corriendo innumerables peligros e incontables aventuras. Finalmente, Rama consigue la ayuda de un ejército de monos comandado por el rey-mono Hanuman. De esta forma consigue liberar a su amada.

Los amantes esposos celebran su reencuentro con una apasionada velada. Cuando regresan a su ciudad, sus aventuras son ya legendarias y Rama recupera el trono que le fue arrebatado injustamente por su hermano. Pero ahí no acaban los infortunios de la pareja.

Sita es acusada de haber sido adúltera durante su secuestro. Por ello, es desterrada fuera del reino de su marido, sin que éste pueda hacer nada para impedir el cumplimiento del castigo.

En su destierro, Sita da a luz dos gemelos, fruto de la noche de pasión con su esposo y los cuida como buenamente puede. Finalmente, la historia tiene un merecido final feliz. Tras unos pocos años de separación, Sita consigue regresar al lado de su marido y pueden vivir en paz.

Esta divinidad suele representarse con la piel azul y llevando un arco con flechas. Es un dios que muestra el camino correcto, la conducta intachable que debería seguir cualquier hindú. Es también el dios de la justicia, porque busca durante toda su vida que ésta se cumpla.

Tanto Krishna como Rama son dioses «modernos», que aparecen en las últimas reformas del hinduismo y que conectan, todavía hoy en día, con los hindúes. Algunas otras divinidades parecen más alejadas y su culto es más una tradición que un sentimiento de devoción. En cambio, estos dos avatares de Vishnú son, por sus aventuras humanas, mucho más cercanos a sus seguidores.

> En muchas ocasiones se han comparado las aventuras de Rama con las de Odiseo (Ulises en romano). Ambos viven una aventura llena de escollos en las que el final feliz, junto a su esposa, en su reino, parece cada vez más lejano. Pero su tenacidad consigue que finalmente logren su objetivo.

Si se analizan las dos reencarnaciones de Krishna y Rama se puede llegar a la conclusión de que son los dos reversos de una moneda. Uno es el vividor y otro el devoto marido. Ello demuestra que se puede llegar a la rectitud siguiendo cualquiera de esos caminos. En cada vida venimos a trabajar un aspecto de nuestra existencia y por tanto no es de extrañar que las situaciones que atraviesan ambos sean completamente diferentes.

Esta dualidad los hace, de algún modo, complementarios. Son dos modelos muy diferentes de comportamiento.

HANUMAN

Es el dios mono, muy popular en la India y que ha inspirado un sinfín de historias. Hanuman conoció a Rama cuando el mono estaba con un feriante. Rama se encaprichó del animal y su propietario se lo regaló. Vivieron juntos durante varios años, pero después se separaron.

Cuando Rama pierde a Sita, Hanuman, su fiel compañero, le ayuda. Con sólo dar una palmada, bajan de los árboles cientos de monos que están bajo sus órdenes. Así consigue el héroe tener un ejército con el que liberar a su amada de las garras del demonio que la ha raptado.

Hanuman representa la fuerza bruta unida a la inteligencia. Conoce los cuatro Vedas, tiene pensamientos muy profundos, pero nunca presume de su intelecto y es terriblemente modesto. Es poderoso, fuerte y astuto. Siempre propone soluciones ingeniosas a todos los problemas que se le plantean.

Otro de sus atributos es la capacidad de volar. Hanuman puede recorrer cualquier distancia porque posee la capacidad de emprender el vuelo. Eso se debe a que es el hijo del dios del aire.

Hanuman es muy fiel a Rama. Cuenta la leyenda que cuando Sita fue rescatada, en agradecimiento le regaló al mono un collar de perlas. Este las masticó todas y las escupió. Sita le preguntó por qué hacía aquello y él le contestó que estaba comprobando si Rama estaba en alguna de las perlas. Al ver que no era así, las joyas carecían de valor para él.

En honor a este dios, el mono es un animal muy querido en la India. En algunas áreas de este país lo tienen como mascota y el culto a la divinidad animal es muy popular.

Hanuman es el dios de los enamorados hindúes, puesto que consiguió que Sita y Rama volvieran a unirse. Su valentía ha hecho que también sea la deidad a la que veneran los soldados. También es honrado por los deportistas.

Hanuman suele ser representado siempre con el color rojo. Es muy querido dentro del hinduismo. Pese a ser un secundario en la historia de Rama, se ha convertido en uno de los ídolos más adorados de su país.

SARASWATI

Es la esposa de Brahma y por tanto, la madre de la creación. Sin embargo, no sólo es una progenitora que cuida únicamente de sus hijos. Es, además, la patrona de la cultura. Ella es la que vela por los procesos creativos de la enseñanza, las bellas artes y la música. Por ello, es frecuente verla sosteniendo un libro o tocando algún instrumento de cuerda. Todos los artistas suelen venerar su imagen en el altar familiar.

Se la representa siempre vestida prioritariamente de blanco. Además, todas las ofrendas que se le hacen han de ser también de este color. Habitualmente se la honra con flores, dulces o frutas. El animal que emplea para desplazarse también es del mismo color: se trata de un precioso cisne que la lleva de un lado a otro.

Saraswati significa esencia del ser y eso es lo que pretende esta diosa, que cada uno de sus hijos alcance su esencia gracias al conocimiento y a la pureza de sus actos. Ella ilumina a sus devotos para que consigan alcanzar un estadio superior y por ello les incita a crear, a dejarse llevar por la música a aprender nuevas cosas, todas ellas siempre relacionadas con la cultura.

Es también una madre comprensiva, tal vez la deidad más humana de todas. Ella intenta guiar a los hombres por el buen camino y nunca se cansa ni se deja llevar por el desaliento. Si sus hijos cometen errores, les perdona y vuelve a estar a su lado, como haría cualquier madre que viera que sus hijos no alcanzan las expectativas que ha puesto en ellos, pero que al fin y al cabo, no dejan de ser sus hijos.

Saraswati es consejera en la duda, consuelo en la adversidad e iluminación en los malos tiempos. Admite que la naturaleza humana es imperfecta y esa aseveración permite que sea mucho más tolerante que el resto de los dioses del panteón hindú.

Esta diosa le pide a sus seguidores que nunca dejen de aprender y que jamás engañen o mientan. Lo peor que se le puede hacer es no ser sincero o tener intenciones escondidas. Quiere que sus hijos vayan por la vida con la verdad por delante y que todos sus actos sean honestos y translúcidos. No soporta a los timadores ni a los que engañan a los que aman. Sin embargo, pese a todo, si rectifican, ella les comprenderá y volverá a acogerlos en su seno.

Se dice que sus manos describen todos los pasos que ha de dar un hombre. Ella no puede cambiarlos, pero intenta que sean lo más rectos posibles y que le conduzcan a conocerse mejor a sí mismos y a alcanzar la sabiduría universal.

Muchos comparan a este personaje con el de la Virgen María, por que el papel que desarrolla dentro de la fe es también el de madre piadosa y comprensiva. También se cree que el hecho de que vaya vestida de blanco resalta su pureza, como ocurre con la Virgen. El personaje de María no encuentra demasiados paralelismos en otras religiones, puesto que normalmente la madre creadora es símbolo de fertilidad y no de pureza y virginidad. Por ello, las coincidencias son más relevantes.
Otros comparan a Saraswati con Leda, la diosa de la mitología griega de la que Zeus se enamoró y adoptó la forma de un cisne para poder copular con ella. Sin embargo, la única similitud en este caso es que ella es transportada por un precioso cisne blanco. En el resto de la historia apenas existen coincidencias. Y, además, Leda era una mortal y Saraswati es una diosa.

LAKSHIMI

Así como Saraswati representa a la madre ideal, Lakshimi es la esposa ideal. Se desposó con Vishnú y parte de la fama que consiguió esta diosa se debe a sus aportaciones. Es el ejemplo que deben seguir todas las mujeres que quieren hacer feliz a su familia y en concreto a su marido. Ella es la compañera perfecta que tiene siempre un consejo inteligente que ofrecerle a su esposo.

Se suele representar sentada sobre una flor de loto y habitualmente su figura está flanqueada por varios elefantes blancos. Normalmente, suele ir ataviada con ropajes rojos que resaltan su belleza. Tiene cuatro brazos y con una mano suele lanzar unas monedas de oro.

Ése no es un detalle. Se supone que esas monedas irán a parar a los bolsillos de sus devotos, porque es también la divinidad de la riqueza y de la prosperidad. Ella aporta dinero y bienes materiales tanto al matrimonio como a sus seguidores.

Por ello, es también la patrona de los comerciantes, que se entregan a ella para que les dé buenas ideas para hacer grandes negocios. Si se tiene a esta diosa a favor, resulta mucho más fácil enriquecerse y llevar una vida acomodada.

Ésta es una de las razones por las que también es tan buena esposa. Sabe aconsejar a su marido en el momento necesario, brindarle su apoyo para que consiga un buen estatus social y su magia sirve para que se llenen las arcas familiares y así garantizar que ningún miembro del clan pase nunca hambre.

El algunas representaciones se la asocia con la diosa de la fertilidad. Ambas concepciones (la fortuna y la fertilidad) son semejantes si tenemos en cuenta que son las dos versiones que se pueden aplicar al mundo urbano y al mundo rural. La fertilidad de la tierra se traduce en mejores cosechas y eso significa que se aumenta el patrimonio familiar y por tanto también se aleja el fantasma de la hambruna, uno de los males endémicos de la India, sobre todo en tiempos pretéritos.

Estar a malas con esta diosa no supone ningún gran castigo, pero sí la pobreza o el infortunio en la mayoría de las acciones. Ella no combate, como otras divinidades, simplemente priva de suerte a aquellos que no la tratan como deberían hacerlo.

Por ello, la riqueza que representa esta divinidad no tiene que ver con la codicia. Se trata de un enriquecimiento lícito que sirve para tener suficiente dinero para cuidar de la familia y evitar que nadie pase penurias. Es, por lo tanto, una diosa generosa.

PARVATI

Ésta es una de las diosas más complejas de toda la mitología hindú. Es una y son muchas a la vez. Y además, también representa cada uno de los estados por los que un hombre tendría que pasar para conseguir la plenitud.

Existen un sinfín de representaciones e intentaremos abordarlas para simplificar, en la medida de lo posible, la comprensión de esta divinidad tan poliédrica.

Ella es la esposa de Shiva, el dios de la destrucción y como él tiene partes muy positivas y otras muy negativas. Cuando se la representa junto a su esposo, tiene dos brazos. En uno, sostiene una flor de loto azul y el otro cuelga libremente. Sin embargo, cuando se la adora sin que su marido esté presente, la figura tiene cuatro manos, en dos de ellas lleva lotos azules y rojos y en los otros dos libros de las escrituras sagradas del hinduismo.

Parvati es diosa de la belleza y de los enamorados. Es el símbolo de la mujer completamente enamorada de su marido. Tuvo que reencarnarse varias veces para finalmente conseguir poder vivir su amor con Shiva, el dios al que ama con profunda dedicación.

Cuando se muestra como Pavarti es el ideal de mujer que todas quieren ser y que todos quisieran tener a su lado. Aporta belleza, felicidad, plenitud en todos los aspectos de la vida.

Ella es también la que guía a los hombres en su crecimiento personal, por ello llega a tener diez representaciones, que son los pasos que cualquier ser debería seguir para alcanzar el nirvana.

De todas estas representaciones las más conocidas, y en algunos casos temidas, son las de Durga y Kali. Cuando Parvati se convierte en estas dos divinidades, afloran conductas que pueden asustar a los hombres. Es algo, en cierto sentido, muy parecido a lo que ocurre con Shiva. La destrucción no es mala porque tiene un sentido en el cosmos. Pero cuando desaparece la caritativa Parvati y surgen las otras diosas, algo cambia en el universo.

Durga es una diosa guerrera que mata a los demonios. Su nombre significa invencible, pero también inaccesible. Personifica a la energía más misteriosa del mundo y dependiendo de lo que cada uno haga puede ser considerada buena o mala. Para algunos sustituye a Saraswati como madre del universo. Todo el mundo emana de ella, pues es el motor del mundo tanto en la creación como en la destrucción.

Esta divinidad tiene 64 representaciones, por tanto su aspecto es cambiante. Puede tener de dos a 20 brazos. Suele ir vestida de rojo y siempre lleva una corona que recibe el nombre de *Karandamukuta*. Posee varias armas que la hacen invencible: un tridente, un disco, un arco, flechas, dagas... Suele ir a lomos de un animal salvaje, que varía dependiendo de la representación. A veces monta un león y en otras ocasiones un tigre. También puede ir a lomos de un búfalo, dirigiendo una manada.

Sus armas sirven para combatir los demonios internos de sus seguidores. El miedo, el excesivo apego o la ignorancia son combatidos por esta guerrera que habitualmente desencadena su ira por amor. El disco que lleva, por ejemplo, sirve para romper las murallas que se construyen con el ego y que nos impiden alcanzar al ser supremo.

Esta diosa no es mala por que ésa sea su naturaleza. Todo lo contrario, es tan buena que debe llevar a cabo acciones extremas para conseguir liberar a los hombres de su infelicidad crónica y de la ignorancia que les impide ver el mundo supremo.

Es una diosa dual, puesto que puede ser caritativa y destructora, bella y horrible, dulce y letal. Este grado de contradicción sólo se da en esta divinidad, seguramente la más ambigua y enigmática de todas.

Es una madre guerrera que defiende a sus hijos de sus peores enemigos: ellos mismos y sus demonios interiores.

Si esta representación puede causar en algunos momentos miedo, no hay duda que la que más aterroriza es la de Kali. Ésta es la diosa del tiempo, por tanto es la que acaba destruyéndolo todo, puesto que todas las cosas y todos los seres de este mundo tienen una fecha de caducidad. Cuanto más tiempo pasa, más cerca están de la destrucción.

Kali significa negra y así se representa a esta divinidad. La elección del color de su piel no es arbitraria. Kali es el final y el principio de los tiempos y por lo tanto es

---

Las representaciones de Parvati han sido vistas por algunos como avatares, es decir, reencarnaciones de la misma divinidad. Sin embargo, para bastantes estudiosos del tema son diferentes personalidades que habitan en la misma diosa. Es decir, que está compuesta de todas ellas, pero, a la vez, también se pueden desdoblar.

la representación de ausencia de espacio y tiempo: la oscuridad. Suele aparecer con cuatro manos y tres ojos, uno que le permite ver la conciencia de los humanos y percepciones que se escapan a lo que pueden observar sus seguidores. También suele verse con unos colmillos feroces y con una lengua de fuego, escupiendo llamas que causarán la destrucción. Pero, a la vez, el fuego también representa la purificación.

Al igual que Durga, también mata a los demonios, tanto interiores como exteriores. En muchas ocasiones, se la representa desnuda, cubierta únicamente con un vestido hecho de miembros humanos. También es habitual verla con un collar de cabelleras humanas. Parece ser que en el inicio de su culto se le ofrecían sacrificios humanos. Ahora, sin embargo, sólo en algunas partes de la India se le honra matando a animales en su honor.

Kali se alimenta con la sangre de sus víctimas y eso ha llevado a pensar que existen algunas sectas vampíricas inspiradas en su culto. Algunos, incluso, consideran que Vlad *el Empalador*, el célebre inspirador del *Drácula* de Bram Stoker la adoraba en secreto.

Sin embargo, la mayoría de sus devotos lo son porque ven en ella muchas virtudes. Están seguros que honrándola, conseguirán que ella les ayude a vencer a sus demonios interiores, esos que les impiden crecer espiritualmente y no les dejan alcanzar la felicidad. Por tanto, su culto no es diabólico, como apuntaron los primeros misioneros, sino que aboga por la regeneración interna de cada devoto.

> Parvati toma prestados algunos rasgos de su marido, Shiva. En algunas partes de la India él tiene más preponderancia y viceversa. Dependiendo de cuál de los dos tenga más adeptos se le atribuyen virtudes del otro.

Por último, existe otra representación de Parvati, mucho más dulce que las anteriores. Es Lalita, la diosa de la belleza cuyo culto es muy popular es el sur de la India.

Es extremadamente hermosa y su culto es muy refinado. Suele representarse con un color rojo suave, muy bonito, como la luz del atardecer. Posee cuatro brazos y en uno de ellos acostumbra a llevar un arco hecho de azúcar, en los otros lleva diferentes frutos que hacen las veces de dulces flechas. En algunas ocasiones también aparece con una copa de vino. La particularidad es que el vaso está hecho de diamante tallado. También suele apoyar el pie en una peana que también es de diamante. Existen, pues, muchas representaciones de esta diosa, pero todas ellas suelen ser muy poéticas y es muy querida por todos los hindúes.

GANESHA

Es un dios muy querido en la India. Tiene cabeza de elefante, uno de los animales más populares del subcontinente. Ganesha es el hijo de Shiva y Parvati, por lo que representa la unión de la destrucción para crear un nuevo ser: él. Sin embargo, no tuvo lo que se puede llamar una infancia demasiado feliz. Reza la leyenda que Shiva le cortó la cabeza a su vástago. Parvati lloró amargamente por la pérdida de su hijo de tal modo que al final Shiva decidió salvar al pequeño. Para ello, le dijo que le pondría la cabeza del primer animal que pasara. Quiso la casualidad que fuera un elefante y por tanto Ganesha llevó para siempre la cabeza del animal. Así salvó su vida, pero al haber muerto no pudo recuperar su aspecto original.

En casi todas las representaciones le vemos con un colmillo roto, esto es porque se le partió cuando mantuvo

Vishnú, el dios de la trinidad hinduista, está vinculado con la conservación del mundo.

una batalla con un demonio terrorífico. Finalmente, salió victorioso y consiguió que el diablo se convirtiera en un ratón. Desde aquel momento, lo empleó para transportarse de un lugar a otro. No es casual que Ganesha vaya a lomos de un ratón. Esta divinidad resuelve todos los problemas y vence todos los obstáculos, por ello va en un animal como el ratón, que puede colarse por cualquier rincón o camino, por estrecho que sea.

Ganesha es además la deidad de la literatura, la sabiduría y la buena fortuna. Honrarlo aporta suerte y saber. Es un dios «simpático» que aporta un conocimiento y una fortuna cotidianos, que tienen que ver con el día a día de sus devotos y no con aspiraciones a largo plazo.

> El culto a Ganesha es muy alegre. Todos los rituales están llenos de colorido y de ofrendas. Además, sus devotos suelen premiar a los niños con diferentes dulces en honor a los que el dios comía.

Ganesha significa dios de los guardianes y por ello suele ponerse su imagen o algún altar en la entrada de los templos, palacios y casas. Se cree que así los habitantes de estos espacios contarán con fortuna y estarán protegidos.

Esta deidad posee una gran barriga. Esto es debido a que es muy goloso y siempre está tomando dulces. En muchas representaciones se le ve con diferentes golosinas en la mano.

Muchas veces Ganesha es honrado junto a su hija Santoshi Mata. Ella también es una divinidad muy querida, sobre todo por las mujeres. Se cree que si las jóvenes la veneran, la diosa les ayudará a encontrar un buen marido.

INDRA

Tanto este dios como los siguientes pertenecen a la cultura védica. Son dioses arcaicos, que tuvieron gran importancia al principio del hinduismo, pero que con el tiempo fueron reemplazados por otras divinidades.

Como se verá, estas divinidades se relacionan con fenómenos atmosféricos. Suele ser un rasgo común de todas las culturas. Los primeros dioses sirven para explicar lo que sucede en la naturaleza y que los hombres no saben cómo explicar.

Indra es el principal dios de este panteón primigenio. Se pasea por el cielo con un carro y armado con un rayo (*vajrayudha*). Aparece en el libro védico *Rigveda* como el principal dios del Olimpo hinduista. Es, a la sazón, un héroe y sus aventuras son narradas en este libro como una gran epopeya.

Indra es un poderoso señor de la guerra, que vence en todas las batallas y es letal para sus enemigos. Es el modelo de guerrero que cualquier hombre dedicado a las armas debería imitar. Por ello, solía ser venerado en los campos de batalla. Los soldados se encomendaban a él y le hacían ofrendas. Es habitual encontrar pequeños altares en los sitios en los que se supone que se libraron grandes batallas en la antigüedad.

> Los dioses védicos no son muy populares para la mayoría de los hindúes. En muchos casos, se conserva su culto pero nunca es de los más importantes. Es extraño encontrar, por ejemplo, templos dedicados a estas deidades. Sin embargo, se pueden encontrar imágenes suyas en altares familiares o de alguna comunidad.

Esta deidad también representa la energía en estado puro. Por ello, muchos invocan a este dios, para conseguir esa energía, tanto destructora como creadora. Es una energía más humana que mística y por eso logra que los devotos se acerquen más al dios.

Indra, en muchas ocasiones, es representado con forma humana. Suele tener cuatro brazos y en muchas imágenes cabalga a lomos de *Airavata*, un elefante con poderes mágicos que es el que le transporta de un lugar a otro. Sin embargo, una vez pasada la etapa védica, Indra pasa de ser el rey del Olimpo a ser un secundario en la historia de las divinidades. En los libros posteriores a la etapa védica aparece como el escudero de Krishna, un descenso considerable para esta divinidad.

SURYA

Ésta divinidad representa el sol. Para muchos es comparable al dios Ra de los egipcios. Surya produce el día y la noche, estructura el destino de los humanos. También es fuente de vida y consigue que los seres vivos tengan más fuerza y energía. Los hace activos y aparta de ellos la holgazanería y el decaimiento, así como la enfermedad. En algunas partes de la India, también se le adora como el dios del tiempo. Esto demuestra el conocimiento que tenían los hindúes del universo. Sabían que el ciclo solar marcaba los días, los años y, en definitiva, la medida del tiempo. Por ello, también suele aparecer en un carro tirado por siete hermosos caballos blancos. Éstos representan cada uno de los días de la semana, que él domina.

> Casi todas las culturas primitivas tienen un dios del sol al que venerar. Sin embargo, cuando evolucionan, pasa a ocupar un papel accesorio, puesto que fue creado, simplemente, para explicar un fenómeno (la aparición del sol por el día y de la luna por la noche).

Habitualmente se le representa con un color rojo oscuro. De hecho, ése es su tono. Cuando no lo vemos en el carruaje, suele aparecer sentado en un loto rojo. Ésa es la representación de la energía que el sol confiere a los seres vivos.

El dios Surya era muy adorado en tiempos remotos. Se creía que si esta divinidad se enfadaba con los humanos, podía sumirlos en las tinieblas para siempre. Por ello, era mejor tenerlo contento y venerarlo casi a diario. Sin embargo, cuando se supera la etapa védica, pasa a ser un dios secundario, que no cuenta con un culto mayoritario entre los hindúes. Muchos lo ven como una deidad del pasado.

VARUNA

Nos encontramos ante una de las divinidades más antiguas del culto hindú. Varuna tiene poderes casi ilimitados. Personifica el cielo, las nubes, el agua, los ríos y el océano. En el primitivo mundo rural esto es muy importante, pues de la lluvia, del sol y de los ríos y mares dependía la supervivencia de nuestros antepasados. Por ello, tal vez, Varuna se traduce como «quien abarca el mundo entero».

Varuna es el que sostiene el mundo, otorgando lluvia y cosechas. Tiene mil ojos a través de los cuales lo controla todo. Él está en todos los detalles. Un pequeño despiste puede saldarse con la muerte de miles de seres vivos. Por ello, es tan importante estar a buenas con él y venerarle como se merece.

Como tiene tantas funciones existen múltiples formas de representarlo. En algunas pinturas aparece montado sobre un cocodrilo, que es el animal que emplea para ir de un lugar a otro. Habitualmente tiene cuatro brazos. En uno de ellos lleva una serpiente y en otro una pasa. También puede llevar una concha y un recipiente con gemas preciosas. A veces, se le puede ver en un carruaje que arrastran siete preciosos cisnes blancos. En algunas ocasiones, también lleva sombrillas para cubrirse de los rayos del sol.

Para algunos Varuna es una especie de demiurgo. No sería el creador del mundo, pero sería una especie de artesano. Es decir, no lo habría diseñado, pero se encargaría de construirlo. Para otros, no interviene en la obra, pero se encarga de conservar las cosas tal y como están. En este sentido, sería muy probable que Vishnú, que es el conservador del universo en la trinidad hindú hubiera tomado muchos rasgos de él. De hecho, los nombres Varuna y Vishnú podrían proceder de una misma raíz etimológica, según los estudiosos. Todo ello indica que Vishnú podría haber incorporado varios rasgos de la personalidad de Varuna. Por ello, tal vez cuando acaba la época de los Vedas, apenas existe culto a Varuna. Sus seguidores honran ahora a Vishnú. En la actualidad, sólo tiene algunos devotos en zonas muy concretas y minoritarias de la India.

> Algunos creen que los siete cisnes que desplazan el carruaje de Varuna representan también los días de la semana. La deidad ha de velar porque estos sigan su proceso natural y nada altere el orden cósmico.

VAYU

Es el dios del viento, un elemento muy importante tanto para la agricultura como para la navegación. En algunas zonas de la India, sobre todo en la parte más oriental, soplan vientos muy caprichosos y eso hace que en esas áreas se tenga una especial devoción hacia esta divinidad.

Como el viento, esta divinidad tiene un don que casi ninguna ostenta: puede hacerse invisible. Por lo tanto es un dios que puede vigilar todos nuestros pasos, puede presentarse de improviso, desaparecer y volver a materializar a su antojo.

Puede ser veloz o lento, lo que se traduce en que puede provocar huracanes o brisas. Por ello, tanto puede ir en un carruaje que arrastren dos simples caballos, como en uno tirado por cientos de sementales.

Cuando se hace visible para los humanos, es de color azul. En los brazos lleva banderas, una especie de rudimentario ventilador y diferentes objetos que representan su capacidad para proteger a todos los seres vivos y concederles regalos y dones.

Vayu representa también una energía primigenia que puede servir para beneficiar a los humanos y que es muy parecida a la que ofrece Indra. Muchos han interpretado que estos dos cultos hablaban de dos energías de la naturaleza: la solar y la eólica. En este sentido, existen algunas teorías sobre que los vedas tal vez aprendieron a extraer estas energías de la naturaleza y emplearlas. Sin embargo, los mismos que mantienen esta premisa consideran que con el tiempo esto se perdió. Seguramente, cuando la civilización védica desapareció también lo hicieron todos los inventos que habían logrado. Sin embargo, no hay pruebas concretas al respecto. Para muchos estudiosos resulta extremadamente difícil que se consiguiera almacenar este tipo de energía en tiempos tan remotos.

> A diferencia de otras religiones, que temen al dios del viento, parece que en el culto inicial había más admiración que temor. Vayu no era un dios iracundo ni vengativo, sino que era protector y generoso con todos los seres vivos.

ARJUNA

Éste dios pertenece a la segunda generación de dioses védicos, es decir a los hijos de las deidades anteriormente descritas. Concretamente, es el hijo de Indra. Sin embargo, llegó a la Tierra en el seno de Kunti y su padre «humano» es el rey Pandu. Es el tercero de tres hermanos, pero es el que tiene más importancia en la narración.

Arjuna es, más que un dios, el héroe por excelencia. Su origen divino es importante, pero sus aventuras como hombre son las que fascinan a sus seguidores. Sus hazañas están descritas en varios libros. *El Mahabharata* es el que lo ensalza como uno de sus héroes más importantes.

Este dios heroico se especializa en el conocimiento de todas las armas del universo. Las estudia una a una y aprende todos sus secretos. A partir de ese momento se convierte en un héroe casi invencible. Este «poder» demuestra que su naturaleza es dual. Por una parte es dios, pero por otra adquiere su don debido al estudio, cosa que cualquier humano podría hacer.

Una vez que Arjuna se especializa en el uso de todas las armas del mundo se convierte en un guerrero casi invencible. Por ello, entre sus devotos se cuentan, sobre todo, los guerreros.

La principal habilidad de Arjuna es el manejo del arco. En muchas ocasiones se representa como el dios arquero, capaz de hacer puntería en las situaciones más extremas y difíciles. Algunos creen que sus flechas son mágicas, pero la mayoría considera que simplemente tiene una gran habilidad y puntería.

La naturaleza divina y humana de Arjuna ha hecho que en muchas ocasiones se le comparara con Jesucristo. Nace en el seno de una familia humana, pero es el hijo de un dios. Sin embargo, este origen no está claro y se pierde en la literatura popular de las diferentes áreas de la India que le rendían culto. Para algunos, verdaderamente era un Dios, para otros era un humano excepcional y, finalmente, surgió la teoría que aunaba las dos premisas.

Al igual que su padre, en el libro *Bhagavad Gita*, el texto más importante del budismo moderno, adquiere un papel secundario dentro de la historia. Es seguidor y amigo íntimo de Krishna. La razón es que Arjuna recibe una iluminación y decide hacerse devoto de la reencarnación de Vishnú.

ADITI

Ella es la madre de todos los dioses védicos, que también son llamados aditias. Según la leyenda, originariamente estas divinidades eran serpientes. Pero consiguieron deshacerse de su piel de reptil y revestirse de inmortalidad. Por ello consiguen ser «Devas», es decir dioses y soberanos al mismo tiempo.

Aditi es pues la madre de los dioses y del mundo. Pero además de velar por sus vástagos, también es la diosa que encarna la libertad. Ella no se deja dominar, sigue sus intuiciones. Éstas son siempre buenas y por tanto no debe darle explicaciones a nadie.

En este sentido es una diosa primordial. Ella es la encargada de que los humanos se liberen de todas sus cargas: los miedos, las enfermedades, los sentimientos perjudiciales, la impureza… Ella libera todo lo que constriñe, ya sea en la naturaleza como en el interior del ser humano. Es por tanto una diosa positiva y liberadora que ayuda a los hombres a acceder a un estado superior.

Como es madre del mundo, las mujeres hindúes le rezan cuando están embarazadas. Es muy habitual llevar un amuleto, que es el que se dice que portaba la diosa cuando quería quedarse encinta.

Su nombre significa «no ligada» y aquí volvemos al concepto anteriormente descrito. Se encarga de liberar a los hombres de sus cadenas, pero también de que las madres puedan parir sin problemas. Además, es la divinidad que vela por la salud de sus hijos. Ella puede otorgar una larga vida sin enfermedades.

Habitualmente se la representa como una mujer joven que retuerce sus cabellos con dos manos. De éstos, brota un río que simboliza la fuente de todas las riquezas, tanto materiales como espirituales. En cierta forma, se trata de una representación muy sutil y elaborada de la típica diosa de la fertilidad.

En algunas zonas el culto a Aditi se ha convertido en una forma de reclamar más derechos para las mujeres. Algunas teorías de principios del siglo XIX reseñaban que había un grupo reducido de devotas que vivían en comunidades femeninas y que sólo tenían contacto con hombres para procrear. Este mito, muy similar al de las amazonas, aparece en casi todas las historias míticas. Según se explica, estas féminas sólo aceptaban a los bebés que fueran niñas y se deshacían de los varones.

FILOSOFÍA HINDÚ

Para entender el hinduismo debemos tener claro que no se trata de una religión con dogmas inamovibles que no ha cambiado a través de los tiempos. Esta doctrina ha evolucionado a lo largo de 35 siglos, por lo que hay muchas escuelas y muchas opciones que, sin estar enfrentadas, ofrecen diferentes visiones de los diferentes aspectos que tratan.

Por lo tanto, es difícil hablar de una filosofía única, pues hay muchas complementarias e incluso opuestas. De todos modos, en este capítulo se intentarán apuntar las principales ideas sobre las que existe un relativo consenso y que son las que definen este *corpus* de creencias.

Para empezar, es imprescindible ahondar en el título de este capítulo: filosofía hindú. Bajo todas las religiones subyace una base filosófica más o menos elaborada. Sin embargo, cuando nos acercamos al hinduismo, descubrimos que la religión es filosofía y viceversa. Los sabios hindúes empezaron, siglos antes de que la filosofía atravesara en Europa su momento más dulce, a plantearse cuestiones que sólo se podían responder desde la filosofía. Algunos denominan al hinduismo la religión filosófica o la filosofía religiosa. Y es que ambas cuestiones son indisolubles. En esta doctrina no imperan los dogmas de fe si no las preguntas que conducen a respuestas metafísicas. Tal vez esta cuestión resulte un poco difícil de entender, puesto que se adentra en los pantanosos territorios de la filosofía e, incluso, en ocasiones de la ciencia. Por ejemplo, en muchas religiones se prohibe matar. Está claro que esta acción es perjudicial. Sin embargo, el hinduismo va más allá y explica el mal que conlleva esta acción. No se trata de un castigo divino, si no de un sufrimiento que mediante las leyes cósmicas acaba volviéndose en contra del asesino.

El universo hinduista tiene unas reglas universales y en cierta forma se autorregula. No hay excepciones ni para castigar ni para premiar. Uno debe conocer «las reglas del juego» para conocerse a sí mismo y de ese modo poder crecer espiritualmente.

> El hinduismo no es una fe basada en el proselitismo. Al contrario, es una religión cerrada que huye de él. Sin embargo, sus seguidores están absolutamente convencidos de que cualquier fiel que profundice en el conocimiento llegará a las mismas conclusiones que exponen los libros sagrados. Por ello, no es necesario imponer dogmas, cada cual llegará por su cuenta a la misma conclusión.

¿QUIÉN ES DIOS?

Ya hablamos en el anterior capítulo del falso politeísmo que se le atribuye al hinduismo. Sin embargo, en este capítulo se hace imprescindible volver a ahondar en esta cuestión básica para entender esta religión.

El concepto de Dios se mezcla con el de universo. Dios lo es todo, por lo tanto es el universo y todas sus criaturas. Se cree que de ese dios primigenio que era el universo, se separó una tercera parte y de ahí se creó la tierra y todas las criaturas del mundo. Por ello, todas tienen una naturaleza divina, pero ése es un tema del que hablaremos más adelante de forma más detenida.

En ese sentido, Dios es infinito. Por ello, puede ser representado en infinitas formas. Su personalidad se manifiesta de diversas facetas de forma infinita. Por lo tanto, todo el mundo es Dios.

Meditar sobre Dios, significa reconocer todas esas manifestaciones y saber que no tienen ni un principio ni un fin (esto enlazará con lo que más adelante explicaremos sobre el tema de la reencarnación). Así que las deidades, los múltiples ídolos del hinduismo simplemente sirven para llegar a través de una parte al todo.

> Los vedas dicen: «OM Poornamadah Poornamidam Poornaad Poornamudachyate; Poornasya Poornamaadaaya Poornamevaavashisyate». Esto significa: «Qué es Todo - Esto es Todo - Lo que ha salido del Todo es también Todo; Cuando algo es tomado del Todo, el Todo permanece siendo el Todo».

Todas las creaciones del Todopoderoso están sujetas al devenir del tiempo. Todas tienen un principio y un final. Por lo tanto, siempre hay un proceso de creación (*srishti*) y disolución (*pralaya*), que es el que marca la estructura circular del mundo. Él único ser que no está el Ser Supremo que no tiene comienzo ni fin.

Sin embargo, esto no tendría sentido si no hubiese una explicación que completara la teoría. No sería posible que dios fuera eterno, que las diferentes criaturas de la tierra fueran dios y que, sin embargo, éstas fueran perecederas. Aquí es donde entra en juego la teoría de que este mundo es ilusión y que se ha de entrar en el verdadero mundo donde todo perdura.

EL TIEMPO

Éste es uno de los conceptos que más cuesta de entender, porque supone un enrevesado cálculo matemático que intentaremos exponer de la forma más clara y sencilla.

Los hindúes piensan que el cosmos es creado y destruido en ciclos concretos de tiempo. Cada uno de ellos está compuesto por un período de tiempo llamado *Mahayuga*. Hacen falta 1.000 *Mahayuga* para la destrucción total y cada uno de ellos dura 4.320.000 años.

Cada *Mahayuga* está dividido en diferentes etapas: *Kritayuga*, *Tratayuga*, *Davparayuga* y *Kaliyuda*. Según el calendario hindú nos encontramos en *Kaliyuda* y en el sexto milenio.

De momento, los hindúes no tienen que preocuparse por predicciones apocalípticas. Nos encontramos en el último ciclo del *Mahayuga*, pero aún nos quedan 426.000 años antes de que empiece un nuevo ciclo que durará 4.320.000 años. A partir de ese momento, sí que los hindúes (si siguen existiendo) podrían preocuparse por la desaparición del mundo.

Ese largo período no lo es tanto para los dioses. Un año divino equivale a unos 360 años humanos. Y un millar de años divinos se traducen en un sólo día de Brahma, el Todopoderoso.

Una vez el mundo desaparezca, pasarán los mismos años en los que sólo haya destrucción, es decir en los que no exista absolutamente nada. Eso es lo que se denomina la noche de Brahma. Una vez haya pasado ese período de tiempo, el mundo se reconstruirá de nuevo. Ese ciclo dura 8.640 millones de años y recibe el nombre de *kalpa*.

TODOS SOMOS DIVINOS

Para los hindúes, el Brahmán es la esencia del universo, la energía del cosmos, el ser absolutamente divino. En las escrituras sagradas de dice de él: «No se le ve, pero Él nos ve. No se le oye, pero Él nos oye. No se le comprende, pero Él nos piensa. No se le conoce, pero Él nos conoce».

Pero dentro de cada uno de nosotros reside el Atman, que es idéntico al Brahmán. El Atman sería el espíritu, nuestra esencia que es, al igual que el ser supremo, imperecedera. El problema es que el mundo de apariencias nos impide acceder hasta él.

La idea del hinduismo es incluso poética: todos somos Dios, pero en muchas ocasiones no somos conscientes de ello y perdemos nuestra divinidad.

El alma, el espíritu o el Atman es una parte del Brahmán y su objetivo es volver a hacerse uno con él. Pero esto no puede ocurrir si no tomamos conciencia de que el mundo real no es el que apreciamos a través de nuestros sentidos perecederos, sino otro que alcanzaremos con un estado de conciencia superior.

Por ello, dentro del hinduismo, está mal visto tanto dañar al prójimo como a los animales. En cierta forma, estamos haciéndole daño al Todopoderoso y a la vez a nosotros mismos. Todos forman parte del Ser Supremo, como nosotros, por lo tanto, las malas acciones repercuten en todo el universo y en nosotros mismos.

> Según el sabio Swami Vivekananda: «Cada alma es potencialmente divina. El objetivo es manifestar esta divinidad que llevamos dentro, controlando su naturaleza externa e interna. Conseguidlo mediante el trabajo, la devoción, el control de la mente o la filosofía; por uno o más medios, o por todos estos medios y sed libres. Las doctrinas, dogmas, rituales, libros, templos o formas sólo son detalles secundarios».

Esta teoría es muy diferente a la del cristianismo. Según esta última religión, las almas son individuales y están separadas de Dios. Nunca pueden llegar a ser Dios. Sin embargo, los hindúes creen que son una escisión del

Ser Supremo y que por lo tanto su mayor anhelo es llegar a juntar con él.

Dentro del hinduismo, ser ateo es una forma de menospreciarse a sí mismo. Al negar la existencia de dios, se rechaza también la posibilidad de ser divino. Y a la vez, se está diciendo que todos nuestros semejantes tampoco lo son.

EL SAMSARA O LA TRASMIGRACIÓN DE LAS ALMAS

El Atman es inmortal, pero el cuerpo no. Por lo tanto, ¿qué ocurre cuando morimos? El Atman vuelve a reencarnarse ya sea en una persona, un animal o una planta. Si ha llevado una vida de acuerdo con los mandatos hinduistas, se reencarnará en una forma superior. Si, por el contrario, cometió actos deshonrosos, volverá al mundo como un ser inferior.

Algunos libros sagrados presentan una guía de los diferentes cambios que experimenta un alma humana y se contabilizan en 86 millones. En estos tratados suele explicarse qué forma de vida tendrá cada una de las almas en todas y cada una de sus reencarnaciones.

Sólo cuando se haya tomado contacto con el Atman y se hayan pasado las reencarnaciones necesarias, se podrá liberar del samsara, la rueda de la trasmigración.

En el hinduismo, estas reencarnaciones producen dolor y sufrimiento. El mundo en el que vivimos nos conduce a la infelicidad. En cambio, la felicidad absoluta se encuentra en la otra realidad, la que no somos capaces de contemplar si no es con esfuerzo y con una buena conducta.

Es este punto el que muchos han tomado para considerar al hinduismo una religión pesimista. Este mundo es el origen del dolor y volvemos una y otra vez a él. La muerte no es una liberación, sino que es un ciclo más en esta rueda circular que se repite una y otra vez.

Para entender más claramente este concepto, los hindúes ponen el ejemplo del sueño. Cuando dormimos, no somos conscientes de que antes estábamos despiertos y que después lo volveremos a estar. Vivimos el sueño como si ésa fuera la auténtica realidad cuando en verdad es una ilusión. Ese período en el que dormimos sería semejante a nuestra vida en la Tierra. Olvidamos que antes estuvimos en otro sitio. Desconocemos que después alcanzaremos otro estadio. Nos aferramos a lo que ocurre aquí como si esto fuera la realidad, cuando en el fondo no es más que una ficción que nos condena a sufrir.

Por ello, cuanto más nos aferremos a esta vida, a la pasión, a la envidia, a la posesión y a todos lo sentimientos mundanos, más lejos estaremos de ser capaces de relativizarlo todo y por tanto de encontrar la esencia divina, que es la única que garantiza una felicidad imperecedera.

En este sentido, lo mejor es dejar llevarse por las emociones, ser capaces de observarlas sin implicarse en lo que ocurre. De este modo, lejos de las ataduras terrenas, seremos capaces de reencontrarnos con nuestra verdadera naturaleza espiritual. Todo lo demás, simplemente nos alejará más de esta revelación. Es por esta razón, por lo que la meditación, el yoga y en ocasiones el ascetismo sirven para trascender,

> En el cristianismo o en el judaísmo el enfoque del mundo es similar al del hinduismo: estamos aquí para sufrir. La diferencia es que en los primeros este castigo acaba con la muerte, aunque se puede prolongar después de esta si nuestra conducta no ha sido buena. En el hinduismo, en cambio, no hay un castigo eterno, puesto que al final todas las almas se salvan, pero cuesta muchas vidas conseguirlo y el proceso comporta mucho sufrimiento.

para ver el mundo real con claridad, por encima de las ilusiones creadas a nuestro paso por la tierra.

El samsara es el camino que cada cual tiene que recorrer para volver a juntarse con el Ser Supremo. De su comportamiento dependerá que sea más o menos aciago. El hinduismo propone reglas para conseguir que el camino sea lo más corto y lo menos doloroso posible.

EL KARMA

Éste es uno de los conceptos del hinduismo más populares en Occidente. Es habitual oír la frase «tienes buen karma» o «posees un mal karma». Habitualmente, con la primera designamos a personas que están en paz consigo mismas y empleamos la segunda definición para aquéllas que son excesivamente negativas.

El karma se podría definir como la ley de la causa y el efecto. Lo que hacemos es lo que nos lleva a tener una buena o una mala reencarnación. Según los libros sagrados del hinduismo: «El que roba semillas, se volverá rata; el que roba carne, buitre; el hombre de instintos crueles, será un tigre; el adúltero será engañado por su mujer; el ambicioso quedará ciego; el calumniador, mudo; el brahmán que come carne prohibida renacerá convertido en basurero».

Por lo tanto, de nuestra conducta en esta vida dependerá la reencarnación futura. En cierta forma, buscamos el equilibrio y por ello tenemos que ir saldando las deudas que contraemos por nuestro mal comportamiento. Hemos de pagar por nuestros pecados e intentar no cometer otros para no tener que volver a saldarlos.

De esta forma, hay una especie de justicia cósmica que no necesita el castigo o el premio de ningún Dios. Cada cual conoce las reglas y sabe que no hay excepciones, pues ésa es la única forma de que el Universo funcione.

El karma no admite excepciones debidas a la ignorancia. Cometer una falta sin saber que es una falta es lo mismo que hacerlo intencionadamente. En cierta forma, es una ley impersonal, al no administrarla un dios es imposible matizarla. Cada uno es totalmente responsable de su conducta y de saber lo que está bien y lo que no lo está. Por citar un ejemplo, un homicidio involuntario supondría la misma carga negativa de karma que una asesinato premeditado.

«No te preocupes demasiado por lo que has sido en la vida pasada, ni por lo que serás en la futura vida, ocúpate mejor en descubrir lo que eres en esta vida», proclama el gran sabio Sri Ramana Maharshi.

La consecuencia es la misma: alguien ha dejado de vivir por la acción del que lo ha cometido.

De esta manera, es también bastante difícil sentir compasión. Quien pasa un trance desafortunado es seguramente porque en otra vida cometió faltas imperdonables. El mal de cada uno es fruto de sí mismo y no de la mala suerte o de la injusticia.

La empatía hacia el prójimo no viene de la compasión si no del conocimiento de que su naturaleza es divina. Ayudar es una forma de conseguir un karma más positivo para las subsiguientes existencias.

La ley del karma se resume en una frase: «Somos lo que hemos hecho, seremos lo que hagamos». De esta forma, el hombre es completamente responsable de todos sus actos.

EL MOKSHA

Visto lo visto, la máxima aspiración del hindú es librarse para siempre de esa dolorosa cadena de idas y venidas al mundo terreno. Por ello, los fieles a esta religión buscan el Moksha, que se traduce como liberación. Es el momento en que el alma ha conseguido librarse del maya (el mundo ilusorio en el que vivimos), ha roto las ataduras del karma (lo ha equilibrado de forma que ya no tiene que pagar las consecuencias de acciones pasadas).

El moksha se alcanza en el momento en que uno es capaz de experimentar de forma personal que absolutamente todo, incluyéndose a sí mismo, es Brahmán. Esta experiencia es la máxima aspiración y la base sobre la que se edifica el hinduismo. Es el gran objetivo del hindú. Y es a la vez la forma en la que se articula toda la doctrina. Todo lo que se explica no es si no una forma de alcanzar este estado sublime.

Sin embargo, no hay normas férreas para llegar al moksha. Cada cual tiene que encontrar su propio camino y la religión sólo propone diferentes rituales y ejercicios espirituales para que cada practicante encuentre el propio. Los hindúes están tan convencidos de su objetivo final, que no necesitan dogmatizar la forma de llegar a él. Por ello es una religión muy tolerante que permite diferentes prácticas. No juzga ninguna de ellas. Nada es bueno o malo, simplemente a unos les sirve más que a otros. Pero, al fin y al cabo, el objetivo final es el mismo y poco importa el camino elegido para llegar a él.

> En muchas ocasiones el moksha también se denomina nirvana. Algunos piensan que este término es más propio del budismo, pero lo cierto es que con el tiempo ambos se emplean de forma indistinta.

Por ello, hay hindúes que se dedican al yoga, porque la meditación es la única forma que tienen de acceder a su Atman y así estar más cerca de la divinidad. Otros necesitan los dioses, para entender que todos comparten el concepto de divinidad, que todos pertenecen al Brahmán.

En el momento que se alcanza el moksha uno se libera de las esclavitudes del ego y del mundo ilusorio en el que vivimos. En ese instante, se comprende que la personalidad individual es una falacia, un invento. El alma individual se une a la colectiva y es ese proceso el único capaz de procurar una felicidad absoluta. Se pierde la identidad y se abraza la divinidad. Hay muchas descripciones sobre el estado de sublime placer que provoca ese momento, pero la mayoría creen que no se puede hablar de ello. Es algo que sólo se puede sentir una vez llegue el momento de apartar para siempre el dolor.

LAS METAS DEL HINDUISMO

Como ya ha quedado claro, el objetivo final del hinduismo es conseguir el moksha, el único estado en el que se dejará de sufrir y se disfrutará de una felicidad eterna.

Pero existen, también, otras metas. De hecho son las respuestas filosóficas al sentido de la vida, que es lo que pretenden escudriñar todas las religiones. ¿Qué hemos venido a hacer a este mundo? Ésa es la cuestión que subyace tras cada una de las doctrinas e, incluso, de las diferentes escuelas de pensamiento filosófico.

> Artha, Kama, Dharma y Moksha son los cuatro objetivos que debe tener cualquier hindú. Su objetivo es llegar a alcanzarlos en algún momento de su vida, pues son los que le permitirán vivir en paz con su espíritu.

El Moksha es la meta última, pero se alcanza tras múltiples vidas. ¿Qué se tiene que hacer entre tanto? Cualquier religión, además de crear una esperanza más allá de la vida, también confiere sentido a la existencia actual.

Por ello, el hinduismo tiene cuatro metas. Las tres primeras son las que acaban con la muerte y se refieren en concreto a la vida en la tierra. La cuarta es el moksha, del que ya hemos hablado en el apartado anterior y que es la más difícil de alcanzar. Las otras tres son: Artha,

Kama y Dharma. A continuación explicaremos cada una de ellas, pues son las que reglan la vida de los hindúes y les muestran la conducta y el camino que deben seguir.

ARTHA

Según los estudiosos ésta es la meta más fácil de alcanzar. No requiere gran madurez espiritual y es la más fácil de entender y aceptar aunque no se conozca en profundidad el hinduismo.

El Artha es la fuerza bruta, el poder de las armas o del dinero. Es en cierta forma el éxito terrenal, la realización personal desde un punto de vista occidental. Pero no se trata, en ningún caso, de una sed desmedida de poder o de bienes materiales. Más bien al contrario, se trata de dominar el propio carácter, tener autocontrol y demostrar disciplina personal.

> El Artha se considera el primer paso de cualquier hinduista. Es el concepto más fácil de asimilar porque en el fondo todo el mundo quiere alcanzar cierto éxito en esta vida, ya sea en el amor, en el trabajo... Pero la diferencia es que el hinduismo no acepta esa posición desde la ambición, si no desde la rectitud moral. Quien está más arriba de la escala social tiene que ser alguien cuyos intereses espirituales sean intachables.

El Artha viene a decir que sólo quien ha aprendido a obedecer, está capacitado para mandar. Los niños, por ejemplo, siguen las órdenes de sus progenitores. Ellos tienen ese estado de inocencia que les libra de las esclavitudes del ego y de la importancia de la personalidad. Por ello, los adultos tendrían que alcanzar ese estado de inocencia espiritual que les permitiera huir de los dictados sociales y concentrarse en los logros personales.

El Artha consiste en llegar a un estado de autodominio y control, donde las emociones derivadas del ego no

Shiva, tercero de los dioses principales en el hinduismo. Su función es la de destruir o, si se prefiere, mutar y purificar aquello que ha sido creado.

enturbien la conducta. De esta forma, se puede alcanzar un éxito edificado en las bases del hinduismo. Es el camino para conseguir un éxito tanto social como espiritual.

KAMA

Esta es la segunda meta, a la que se puede acceder cuando se ha cumplido con la primera. Kama es el placer en estado puro, es decir la capacidad de alcanzar satisfacciones.

Erróneamente se ha relacionado con el hedonismo occidental. Sin embargo, la diferencia es que no hay ninguna sofisticación en el Kama. Se tiende a conseguir siempre placeres sencillos y sobre todo pacíficos, que a la sazón están al alcance de todo el mundo. El camino hacia este estado también supone un esfuerzo. Hay muchas trampas, muchas felicidades falsas que no suponen más que sufrimiento y el hindú ha de aprender a huir de éstas. La causa no es que sean socialmente reprobables, si no que conducen a un mayor sufrimiento. Por ello, el creyente se ha de concentrar en las que verdaderamente producen felicidad y en ese momento saberlas disfrutar. En un principio parece fácil, pero en la práctica puede conllevar más dificultades de las que parecen a simple vista.

Es obvio que uno de los placeres que se pueden experimentar en esta vida son la sensualidad y el erotismo. Recordemos, por ejemplo, que el célebre tratado de sexualidad hindú, el Kamasutra, lleva por título esta palabra.

> El Kama ha sido el motor de la escuela tántrica. En Occidente, sólo nos hemos quedado con la parte más sexual de ésta y la hemos desprovisto de su contenido espiritual. Ello ha conducido a muchos errores: se ha creído que la base de esta filosofía era simplemente el goce sexual cuando verdaderamente va mucho más allá.

El Kama es un meta espiritual que adquiere especial importancia después de la adolescencia. Kama no supone sólo recibir placer, sino que implica aprender a darlo. No se trata, pues, de una sensualidad egoísta basada en la satisfacción inmediata sino en un proceso elaborado que busca tanto el placer propio como el del otro. Y también esa unión entre la parte divina que cada uno posee.

DHARMA

Son muchas las interpretaciones que se le han dado a la tercera meta del hinduismo. En general, todos coinciden en que se trata del camino recto del deber. Las obligaciones que cada uno debería cumplir. Es un objetivo seguido por un grupo de personas selectas que consagran su vida al bienestar del resto.

Es un camino en muchas ocasiones terrible, pero que nunca debe ser interpretado como una carga. El premio que promete es un grado de serenidad inigualable, por lo que recorrerlo tiene que ser entendido como un privilegio.

Cuando los hindúes alcanzan la edad adulta, se les orienta hacia el Dharma. Los adultos que forman una familia, por ejemplo, deben asumir una serie de obligaciones. Pero éstas son aceptadas con alegría, por que se trata de una opción libre que reporta grandes beneficios espirituales. De esta misma forma, se tienen que entender que se asume el camino del Dharma. Los padres y las madres espirituales, los maestros o gurús, sobrellevan su responsabilidad con júbilo. Ayudan a encontrar el camino a los que buscan o a los que se han descarriado.

Sin embargo, esta «obligación» también tiene sus límites y no tiene que durar toda la vida. En muchas ocasiones, el maestro puede ser superado por el alumno o éste puede necesitar de otro gurú para profundizar sobre aspectos específicos de su formación espiritual. Viene a ser como cuando un hijo forma su propia familia y se independiza de sus padres.

> El Dharma viene a ser la ley, lo que para los cristianos y judíos son los mandamientos. Muchas de estas normas tenían una función más social que religiosa.

El Dharma está compuesto de tres leyes fundamentales. La primera hace referencia a las castas y dada la extensión del tema, la abordaremos en el siguiente apartado. Es éste un tema muy polémico que se ha de entender en su totalidad de forma correcta para no incurrir en tópicos o en interpretaciones erróneas.

La segunda ley es la que se denomina «los estados de la vida». Se puede aplicar a cualquiera, pero es casi imprescindible en la casta de los brahmánes. Éstos deben, a lo largo de su vida, recorrer cuatro grados. Tienen por lo tanto que ser: estudiante, jefe de familia, eremita y religioso errante.

Por último, deben cumplir también la ley del comportamiento individual. Ser generoso, fiel a la verdad, dominar las emociones y sobre todo no utilizar nunca la violencia.

LA ESTRUCTURA SOCIAL

Las castas marcan la estratificación social de la India. Pese a que la Constitución las ha abolido, han reglado el destino de los hindúes durante siglos y, desgraciadamente, siguen haciéndolo todavía en algunas zonas de este país donde cuesta que la clase alta renuncie a sus privilegios.

Antes de sumergirnos en el estudio de este fenómeno, explicaremos la repartición social que imponen las castas. Arriba de todo, en la elite, se encontrarían los *brahmanes*. A este grupo pertenecerían los sacerdotes, los escritores, los pensadores y los eruditos. De todas formas, aunque el grupo es amplio, los que siempre tienen más poder son los que están relacionados con actividades clericales, es decir, los sacerdotes.

En segundo lugar están los *kshatriyas*, la aristocracia. Ésta se compone, principalmente, de los soldados y los gobernantes. Los que pertenecen a esta casta deberían ser los encargados de ejercer el poder. En un principio, se creía que eran los encargados de defender a los brahmanes. Ahora, serían los encargados de ocupar puestos de poder. Todos los políticos, si siguieran al pie de la letra la tradición hindú, deberían pertenecer a esta casta.

La siguiente casta es la de los *vaishyas*, que son los que tratan con dinero. Sería algo parecido, en términos occidentales, a la burguesía. Este grupo, tradicionalmente, incluye a los comerciantes, labradores y artesanos. Se cree que ésta es la casta que ha salido más favorecida de todos los cambios sociales de la India, puesto que al tener dinero ha conseguido que sus hijos tuvieran una buena formación y ascendieran socialmente. Además, la política de la India necesita del apoyo económico, por lo que pese a que en la actualidad siga siendo el tercer estamento social, es la que lo tiene mejor para combatir el peso de la tradición.

Abajo de la pirámide social se encuentran los *shudras*, los siervos. Quinientos millones de personas pertenecen a este grupo. En la actualidad, evidentemente, ya no son esclavos: se han convertido en el proletariado, los obreros, la base de cualquier economía emergente.

> Las castas, en indi, se llaman *varnas*, que significa «color». El término casta lo impusieron los portugueses. Proviene del latín *castus* que se podría traducir como casto o puro. Los primeros colonizadores de la India vieron con buenos ojos que el país tuviera una estructura social tan férrea.

Por último y como paradigma de la injusticia del sistema, están los que no pertenecen a ninguna casta, «los intocables», «los sin casta». Éstos son los más desfavorecidos en la escala social. Gandhi los llamó *hirjan*, que significa los hijos de Dios y fue el primero en alzar su voz para combatir la precaria situación a la que se ven expuestos.

FUNCIONAMIENTO DE LAS CASTAS

Cada hindú pertenece a una casta por nacimiento. Es lo que llaman *jati*. Y tendrá que permanecer en ella toda la vida y seguir las normas que ésta decreta.

Las más populares son la endogamia y la comensalidad. Los miembros de una casta sólo pueden casarse con personas que pertenezcan a su mismo estrato social. Por ello, es tan popular en la India que los padres preparen los matrimonios. No importan los sentimientos de los cónyuges, sino que cumplan la ley sagrada. En cierta forma, los padres creen que ésa es la única forma de que sus hijos sean puros y puedan alcanzar la felicidad.

En este sentido, se ha de tener en cuenta que el contacto sexual con cualquier casta inferior es una de las faltas más graves que se pueden cometer con esta ley.

La comensalidad concreta las normas sociales. Es algo así como una etiqueta muy estricta. Los que pertenecen a una casta sólo pueden comer y compartir alimentos con los que están dentro de su mismo grupo social.

Sin duda, la regla más criticada es la que impide que los miembros de una casta social toquen a otros de estamentos inferiores. Si lo hacen, se «ensucian», pierden pureza. Los brahmanes tienen preparados una serie de rituales para purificarse cuando están cerca de alguien de otra casta social.

El grado de impureza crece cuanto más bajo es el rango del otro. Por ello, los más desfavorecidos reciben el nombre de «intocables». No pueden, por ejemplo, beber de las fuentes públicas, porque se supone que las contaminan. Tampoco pueden acceder a la sanidad. Un médico, siguiendo este trazado social, ocupará siempre un lugar superior y por tanto, no podrá tocarlo para no embrutecerse. Esto crea una desigualdad social terrible.

El problema es que el sistema no permite ni siquiera la compasión hacia los menos afortunados. Se supone que la reencarnación se debe a vidas pasadas. Los que fueron buenos y han tenido más reencarnaciones, nacerán en el seno de una clase acomodada. Los que acumularon *karma* negativo, deben purgar su pena en una clase desfavorecida.

De esta forma, los que tienen el poder no se sienten culpables y aún menos responsables de los «inferiores». Éstos son los culpables de su penosa situación y deben asumirla para poder saldar la deuda con su *karma*. De hecho, ayudarles materialmente es, desde el punto de vista religioso, condenarlos espiritualmente. Deben purgar sus pecados con sufrimiento y evitarlo supone alargar la condena.

De esta forma, se consiguió un orden social en el que no cabe la disidencia. Los culpables de la injusticia social son los que más la padecen. Esta idea impidió durante siglos que hubiera revoluciones. Sin embargo, al tener contacto con Occidente, muchos empezaron a comprender

---

Todas las castas están divididas en subcastas, que dependen de otras superiores y que tienen otras inferiores que les rinden tributo. En 1881, se llevó a cabo un recuento y se registraron 25.000 nombres de castas. Recientes estudios consideran que con la prohibición el número ha bajado y que en la actualidad existen 4.800 castas, aproximadamente. Los *brahmanes* cuentan con 15 millones de miembros, repartidos en 1.866 castas.

que aquel orden social sólo favorecía a los que estaban arriba y que era un engaño para someter a los de abajo.

Los cambios sociales han provocado algunas modificaciones en el seno de la tradición. Por ejemplo, un guerrero especialmente brillante puede acceder a la casta de los *brahmanes*, pero su mujer y sus hijos nunca contarán con ese privilegios. Y como se ha comentado anteriormente, los comerciantes han conseguido ser mejor vistos por las elites.

Hay otro factor a tener muy en cuenta cuando hablamos de esta estratificación: el color de la piel. Las castas superiores siempre tienen la piel más blanca y las inferiores más oscuras. De esta forma, también se cuela el racismo en la concepción social.

Por último, recordemos también que las castas inferiores no pueden leer los libros sagrados. De esta forma, se les condena a la incultura. La alfabetización es mucho más alta en las religiones en las que sus miembros tienen como obligación poder leer los textos sagrados. El ejemplo más claro es el del judaísmo. Por tanto, al tener prohibido leer estos textos, las clases inferiores no pueden formarse y al poseer menos cultura están condenadas a ocupar un puesto inferior.

PARALELISMOS CULTURALES

Como ya se ha comentado, la ley de castas es una de las normas del Dharma para conseguir la salvación. Ésa es la costumbre más conocida y criticada cuando se trata el tema del hinduismo, puesto que esta norma se ha convertido en una fuente de injusticias sociales.

Sin embargo, tendríamos que analizar la cuestión desde un punto de vista un tanto ecuánime para comprender sus orígenes y no caer en los tópicos. El análisis más superficial es el que consiste en decir que el hinduismo es una religión cruel y anticuada que cree que los pobres siempre lo han de ser y que no permite que los ricos tengan ningún tipo de contacto con ellos. Sin embargo, esta es una verdad parcial, una parte que se toma por el todo y que impide entender profundamente el verdadero significado de las castas.

La sociedad hindú, desde tiempos inmemoriales, ha estado perfectamente estructurada. En pocos lugares del mundo el hombre ha tenido más claro cada uno de los estamentos de la sociedad, su función y su trabajo. Como contrapartida, esto ha creado un inmovilismo social y un fatalismo: uno nacía dentro de una casta y de ahí no podía salir.

Sin embargo, no hace falta ir muy lejos para encontrar este mismo trazado social en Europa. Antes de la Revolución Francesa, la mayoría de los países del viejo continente tenía la misma estructura social: cuatro estamentos sociales, que también eran endogámicos. En ese momento, se creía que esa estructura era un síntoma que ponía de manifiesto que nos hallábamos en una sociedad civilizada y desarrollada. En ese sentido, la jerarquía hindú debía ser tomada como una prueba del avance de esta civilización.

Sin embargo, con la Revolución Francesa, estos parámetros cayeron y se abogó por una sociedad más justa, en la que se valorara el trabajo y el talento de cada individuo, independientemente de la clase social a la que perteneciera.

> El sistema de castas es sin duda un gran atraso dentro del sistema hindú. Sin embargo, en el pasado fue el vehículo que permitió avanzar a esta sociedad. Fue un fenómeno que aconteció en casi todos los países europeos y que los británicos, durante la colonización, apoyaron.

En la actualidad, estos son los valores imperantes. La democracia ha acabado con el inmovilismo social y cualquier muestra de éste se nos antoja una injusta reminiscencia del pasado. Por ello, desde la mentalidad occidental, las castas son un sistema injusto que atenta contra los derechos humanos del individuo.

Tras la independencia de la India, el Estado prohibió esta política, pero lo cierto es que del dicho al hecho aún sigue habiendo mucho trecho. La tradición sigue teniendo mucho peso en la vida hindú y la corrupción impide que la ley se aplique en todo el vasto territorio indio.

EL ORIGEN DE LAS CASTAS

Hay varias teorías sobre el origen primigenio de la estratificación de la población hindú. Para empezar, hay un concepto que debería quedar claro. Como todas las divisiones sociales, la ley de las castas tiene un origen más humano que divino. Ninguna religión margina a sus hijos, pero los que las interpretan suelen «barrer para casa» y buscar en lo sagrado una forma de beneficiarse.

El origen pretendidamente divino de la estratificación social aparece por primera vez en el *Rig-Veda*. Se trata de unos escritos tardíos que se incorporaron a este libro sagrado. Según se explicaba en uno de los capítulos *Purusha* fue un ser cósmico primigenio del que salió todo el universo. Tres cuartas partes de ese ser eran espirituales, pero una cuarta fue ofrecida a los dioses en un fuego de sacrificio. De ahí parte todo lo que conocemos: los hombres (ya estratificados en diferentes castas), los astros, los textos védicos, los elementos... Es interesante para la cuestión que nos atañe, reproducir aquí lo que dice exactamente este libro sobre cómo se creó el mundo.

El Uno

*El ser primigenio (Purusha) con miles de cabezas,
con miles de ojos, miles de pies,
cubre por completo todos los lugares de la tierra...
Sólo él es este mundo entero
y lo que había en él y o que perdura en el futuro,
Él es el dueño de la inmortalidad.*

Cuatro Vedas

*De él, la víctima ofrecida en holocausto,
han surgido los himnos y cánticos...
y las fórmulas de sacrificio.*

Animales

*De él proviene el corcel y todo lo que hay
con dientes cortantes en ambos lados,
de él han surgido las variedades de vacas
y las especies de las cabras y las ovejas.*

Clases de Hombres

*El brahmán se convirtió en su boca,
los brazos se han vuelto soldados,
el comerciante salió entonces de los muslos,
de los pies el siervo...».*

Cielo y Tierra

*El reino del aire salió de su ombligo,
el cielo de su cabeza,
la tierra de los pies, de su oído
los polos, así fueron hechos los mundos.*

Aquí aparece la primera mención a los diferentes estamentos sociales. Sin embargo, no aparece ninguna norma que regle las costumbres de cada grupo social, que impida pasar de uno a otro o que, en definitiva, cree una estricta sociedad jerarquizada. Tampoco encontramos ninguna alusión a los descastados.

Sin embargo, posteriormente, empezamos a encontrar algunos textos que ya hacen una alusión más directa a este orden social. Se trata, en concreto, del «Código de Manu», que se cree que fue escrito en el siglo III a.C. Manu, según el hinduismo, fue el primer padre de la humanidad y su código es el que impone casi todas las normas sociales en las que se basa la tradición hindú.

En la Edad Media estos dos textos son interpretados de una forma determinada, que favorece la creación de la ley de las castas y la imposición de las reglas que regulan su funcionamiento. También es en esta época cuando aparecen los principales rituales de purificación para evitar el contacto con castas inferiores.

Ésta es la explicación sagrada, pero como ya se ha señalado esta estratificación suele responder a otros criterios que muchas veces tienen poco que ver con dictados divinos.

¿Qué intereses subyacen bajo la ley de castas? Tradicionalmente se han dado dos explicaciones: los privilegios de los brahmanes y la especialización del trabajo.

Los defensores de la primera creen que fueron un invento de los sacerdotes, que querían consagrarse al estudio de los textos sagrados y creían que esto debía otorgarles una posición privilegiada. No querían perder su monopolio y tampoco estaban dispuestos, como ocurre en otras religiones, a practicar la mendicidad. Por ello, apoyándose en las escrituras, crearon una libre

Los sadus adoptan la apariencia de Shiva con el pelo largo recogido en un moño, un taparrabos, rayas en la frente y ceniza esparcida por todo el cuerpo.

Baño de renovación espiritual en el Ganges. Se considera un acto de purificación entre los hindúes porque en el río el agua fluye.

Cientos de coloristas estatuas se alinean en el gopuram del templo Tiruvanamalai, lugar de peregrinaje en la ladera de la montaña de Arunachala.

Detalle del templo hindú de Sri Mariamman (Singapur), con su gopuram de vibrantes colores y antropomórficas deidades.

Un hombre santo realiza ofrendas al borde del Ganges en Benarés, considerada en La India como la ciudad más sagrada del hinduismo.

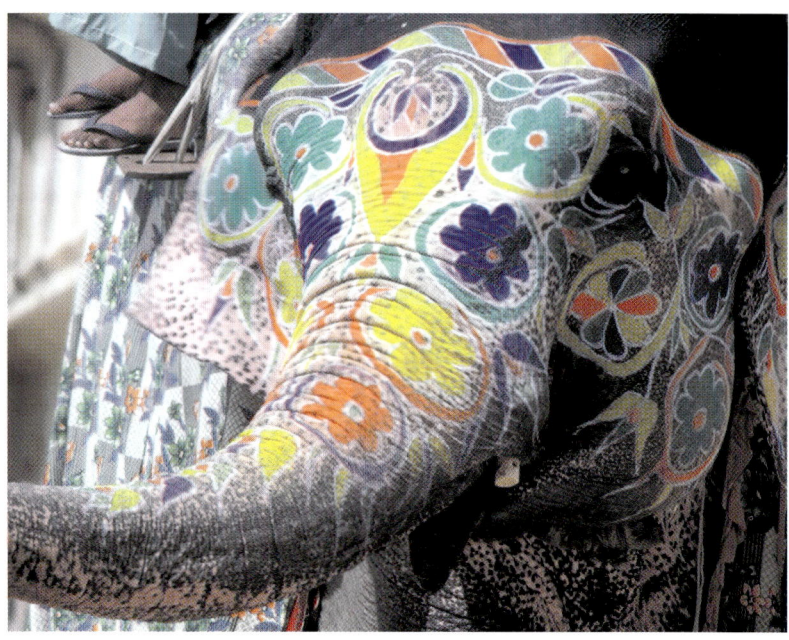

Ganesa, el elefante pintado que recorre Hampi, hijo de Shiva y Parvati, es la deidad de la literatura, la sabiduría y la buena fortuna.

Hombre santo en oración bajo las estatuas de diferentes deidades en Madurai (Tamilnadu).

Estatua de bronce de Shiva procedentre de Tiruvelirkkudi (Tamilnadu), del período Chola Chola (1.000 a.C.).

Vishnú, el dios de la trinidad hinduista, en una representación del templo Lakshman de Khajuraho.

Los hindúes creen que los dioses habitan en el cielo, en el sentido más literal. Por ello, cuanto más elevado esté el fiel, más fácil le será acercarse a ellos.

El templo de Prambanan (también conocido como Lorojonggrang) es el mayor complejo de templos hindúes de Indonesia.

interpretación de las mismas que les permitía ocupar una posición preferente. Sin embargo, esta explicación se ha demostrado insuficiente. Es cierto que los *brahmanes* han ayudado a la consolidación de las castas, pero no podrían haber impuesto un orden social que no está basado únicamente en la religión.

La otra interpretación que se ha dado es la de la especialización de los oficios. Siguiendo éstas aseveraciones, la necesidad de que hubiera profesiones específicas hubiera creado la división de las castas. Sin embargo, también nos quedamos con varias incógnitas que esta explicación no puede resolver. Recordemos que esto también ocurrió en la Edad Media en Europa, con la creación de los gremios. Sin embargo, éstos no tenían nada que ver con la Iglesia Católica. La distribución del trabajo tiene una notable importancia social, pero queda bastante apartada de la religión.

> Las castas tal y como se conocen no aparecen en las sagradas escrituras hindúes. Han sido una interpretación posterior que atendía más a intereses políticos que a religiosos.

Por todo ello, la explicación más extendida actualmente, confía en las razones históricas. Como ya se ha comentado, el hinduismo nace con la invasión aria del Indo. Los conquistadores eran blancos y los aborígenes tenían la piel más oscura. Los historiadores creen que querían protegerse del mestizaje e intentaron no mezclarse con la población autóctona. De ahí nacieron todas las leyes que impiden el matrimonio o las relaciones sexuales entre personas que no pertenezcan a mismo grupo social. Esto explicaría, también, que crearan un orden social y que se situaran en la esfera más alta del mismo.

HISTORIA DE LAS CASTAS DESDE LA ANTIGÜEDAD HASTA NUESTROS DÍAS

Como se ha explicado en el anterior apartado, las castas nacieron con la invasión aria y por tanto están presentes desde el inicio del hinduismo. Sin embargo, hubo momentos en los que alcanzaron mayor o menor preponderancia.

Con la aparición del budismo, por ejemplo, se creó un régimen que se oponía a la existencia de las castas. Se ha de tener en cuenta que el budismo alcanzó en la India su momento de esplendor durante el reinado del emperador Asoka (alrededor del año 250 a.C.). Éste provenía de la casta de los *kshatryas*, pero al convertirse al budismo intentó que éstas dejaran de tener preponderancia en la vida de la India. Lo cierto es que lo consiguió. Durante tres siglos el budismo le ganó terreno al hinduismo y su concepción igualitaria controló el poder de las castas.

Sin embargo, alrededor del año 200 d.C. las tornas volvieron a cambiar. El budismo Hinaya, que es el que contaba con mayor aceptación entre los hindúes, fue evolucionando hacia la escuela Mahayana, que ya no contaba con tantos simpatizantes. Esto hizo que muchos se desencantaran de la religión de Siddharta y volvieran al culto anterior, es decir, al hinduismo.

Con este cambio, los *brahmanes* volvieron a adquirir poder. Y no quisieron volver a perderlo. Por eso difundieron el sistema de castas y consiguieron que calara hondo en la sociedad hindú.

El panorama cambió poco en los siguientes siglos. No fue hasta la guerra de la independencia cuando se volvió a poner en tela de juicio la injusticia social. Los principales portavoces fueron Mahatma Gandhi y Jawaharlal Nehru que intentaron aunar a todo el pueblo para conseguir la descolonización de su país. Y, naturalmente, en este proceso se tuvieron que implicar las diferentes castas y luchar, codo con codo, para conseguir la anhelada independencia.

Los ideales eran elevados. La justicia social de Gandhi y el socialismo de Nehru dibujaban una India en la que el apoyo a los *dalits*, las clases más desfavorecidas, propiciaría un profundo cambio democrático inscrito en el escenario de un estado laico. Sin embargo, el idealismo inicial topó con muchos escollos. El Partido del Congreso defendía la retórica, pero no estaba dispuesto a aceptar demasiados cambios.

En este punto, jugó un papel principal la inversión en infraestructuras. Para ser una sociedad competitiva el gobierno necesitaba invertir en la industria pesada. Para ser una sociedad justa tendría que haberlo hecho en la agricultura. De esta forma, hubiera beneficiado al 80 por ciento de la población. Sin embargo, el capital destinado a la industria sirvió para consolidar una clase media muy fuerte. Menos personas con más poder. Una nueva vuelta de tuerca en el endémico problema hindú.

Este hecho comportó otro problema: la educación. Se crearon más instalaciones educativas, pero éstas estaban destinadas a los estudios superiores de la clase media y no a acabar con el analfabetismo rural. Para entender el problema, basta, por ejemplo, con hacer una comparación con China. La India tiene seis veces más universitarios, sin embargo, en China sólo el 17 por ciento de la población es analfabeta, mientras que el 52 por ciento de los indios no sabe ni leer ni escribir.

En 1964, la muerte de Nehru acabó con la etapa idealista que se había desarrollado a la sombra de Gandhi. En esta época tal vez no se hizo todo lo que se pudiera haber hecho, pero el discurso político discurría por senderos progresistas. Indira Gandhi intentó con poca fortuna tomar el relevo. Tras su asesinato, en 1985, su hijo Rajiv ocupó su lugar, pero cayó tras algunos escándalos de corrupción. Desde entonces, los políticos dejaron de defender esos valores progresistas y se enfrascaron en luchas intestinas por el poder. En la actualidad hay más de cuarenta partidos federales y regionales y mayoritariamente están controlados por *brahmanes*.

La Constitución de la India garantiza un estado laico y lucha contra las castas, pero muchos no cumplen esta ley y otros se enfrentan a ella abiertamente. En este sentido, muchos están preocupados por el poder que está ganando el grupo derechista religioso RSS (*Rashtriya Swayamsevak Sangh*). El asesino de Indira Gandhi pertenecía a este grupo que fue fundado en 1925, para que los *brahmanes* estudiaran al Imperio Británico. Sus extremistas también fueron los responsables de la destrucción de la mezquita de Babri Masjid en Ayodhya en 1992.

La RSS se está extendiendo por toda la India mediante instituciones benéficas especializadas en educación y salud que brindan ayuda a los hindúes. Existen 75 entidades de este tipo que se hallan distribuidas estratégicamente por todo el país. El lema de este grupo es: «una nación, un pueblo, una cultura». La mención de esta frase resulta espeluznante para la minoría musulmana que se ha convertido en el principal objetivo de este movimiento.

Los escollos reales con los que topa la abolición de las castas han provocado la unión de muchos países que quieren apoyar a los hindúes más desfavorecidos. Nelson Mandela, que vivió en sus propias carnes la injusticia del *apartheid* sudafricano ha pronunciado varios discursos en este país. Los «sin tierra» brasileños también han establecido contactos con los descastados para unir fuerzas en la lucha contra la injusticia.

Pese a su radicalismo, la RSS también está obrando algunos cambios en la concepción clásica de las castas. De momento, ha dado privilegios y cargos de responsabilidad a muchos que no son *brahmanes*. De esta forma, pretende contar con más apoyo. Pero muchos creen que este podría ser el principio del fin de las castas. Si los defensores más radicales empiezan a admitir cambios, es probable que estén tocando a su fin.

Sin embargo, muchas son las zonas rurales en las que la abolición de las castas ha sido ignorada. La policía, a menudo corrupta, no tiene especial interés en contradecir la tradición imponiendo la ley.

LA PALABRA SANTA

Tras este forzoso paréntesis que nos ha permitido conocer profundamente los problemas de la sociedad de castas, volveremos de nuevo a adentrarnos en la filosofía hindú.

Otro de los tópicos que nos viene a la cabeza en cuanto pensamos en la palabra hinduismo, es la imagen de los yoguis, que recitan la palabra «Om» místicamente hasta la saciedad. Visto desde fuera, parece un extraño

---

Om podría significar Dios Todopoderoso. Éste es un detalle importante. En la cultura judía se cree que el nombre de Dios no se puede pronunciar. De hecho Yahvé o Jehová son traducciones libres, puesto que el hebreo no tiene vocales y por tanto son una invención para poder designar al Altísimo de alguna manera. Conocer el nombre de Dios otorga poderes sobrehumanos. Por ello, algunas corrientes judías consideran que Jesús sabía el nombre de Dios y por ello podía obrar milagros. Por eso, algunos creen que el mantra «On» tiene que ver con esta historia. Si verdaderamente, es el nombre de Dios es probable que confiera dones a los que lo pronuncian. Este detalle vincularía el judaísmo y el hinduismo.

comportamiento, sin embargo, tiene muchísima importancia dentro de la doctrina.

Para los hinduistas «Om» es el sonido de lo absoluto, del Brahmán. La palabra está compuesta por tres letras: A U M, que simbolizan los tres estados naturales del ser: la existencia, la conciencia y la felicidad. Los miembros de la escuela Zen Om consideran que la palabra tiene especial importancia porque sirve para crear resonancia en tres partes del cuerpo diferentes. La «A» hace vibrar la garganta, la «U» se centra en el abdomen y la «M» final reparte la vibración en la cabeza.

Aun se pronuncia de la siguiente manera. La «A» es algo así como «Ah», extendida y aspirada. La «U», lo mismo, «uh». La «m» como «mmm», con la boca cerrada y vibrando.

Para algunos significa «Dios Todopoderoso», pero su exacto significado en sánscrito es «lo que no tiene ni principio ni fin». Todos los hindúes creen que cantar *Om* durante la meditación atrae a sus vidas salud, prosperidad y longevidad.

Om es el símbolo hindú por excelencia. Para hacernos una idea es el equivalente a la cruz de los cristianos, la estrella de David de los judíos o la luna creciente de los musulmanes.

LA VACA SAGRADA

Éste es otro de los grandes mitos sobre el hinduismo. ¿Qué tiene esta res para ser considerada un animal sagrado? La vaca es para los hindúes la madre del universo. Ella cuida y amamanta a todas las criaturas. Muchos creen que fue realmente su leche la que creó la Vía Láctea. Algunos teóricos de las religiones consideran que tiene tanta importancia para los hindúes como la Virgen

María para los cristianos. La vaca es también el símbolo de la generosidad altruista. Ella lo da todo sin esperar ninguna contrapartida a cambio.

Algunos consideran que la vaca alberga en cada parte de su cuerpo a una divinidad. Por ello es totalmente sagrada. Cualquier cosa que salga de ella (desde las babas a los excrementos) son dignas de ser alabadas.

Su culto se entiende en el contexto de una sociedad primitiva y agraria. En este escenario, la vaca era el animal que garantizaba, con su leche y los derivados de ésta, la subsistencia de la tribu. Por ello, matarla era semejante a acabar con la gallina de los huevos de oro.

Sin embargo, en la actualidad tiene más peso la tradición que la supervivencia. Las vacas apenas dan leche y no pueden ser empleadas como animales de tiro en el campo. Tampoco se pueden comer. Se calcula que si ese precepto fuera abolido se podrían salvar muchas vidas de hindúes que mueren por las hambrunas endémicas.

Pero eso es poco menos que imposible. No hay sacrilegio más grande para los fieles que asesinar una vaca. De hecho, se cree que la casta de los intocables es la más desfavorecida porque asesinaron a vacas y tocaron sus deshechos. Para un hindú matar una vaca es tan grave o acaso más que quitarle la vida a un ser humano.

El propio Gandhi promovió el culto a la vaca. De hecho, quiso incluir en la Constitución un artículo que defendiera los derechos del animal, equiparándolos a los del ser humano. Finalmente, este artículo fue desestimado. Pero no hacía falta ponerlo por escrito. En la India, pocos se atreverían a dañar a este animal sagrado.

Muchos creen que el amor por la vaca es una forma de inculcar el amor y el respeto hacia los seres vivos. Y, de esa forma, también se enseña a respetar la vida de los humanos. El culto a la vaca está presente en todos los grupos hindúes, independientemente de la escuela a la que pertenezcan. Ningún hindú podrá probar en su vida la carne de este animal. Es para ellos tan terrible como comerse a otro ser humano.

Las vacas, en la India, pueden hacer lo que quieran. No es extraño verlas deambular por la calle, comer lo que se les antoja o hacer deposiciones donde les place. Los hindúes suelen decorarlas con guirnaldas y bonitas telas para honrarlas. Así ataviadas se las puede ver tanto en el campo como en la ciudad.

Son muy pocos los Estados de la India que permiten sacrificar a este animal. En muchos casos, han existido brotes de violencia por defender a las vacas. Los musulmanes no pueden comer cerdo y ven en la vaca un alimento ideal en tiempos de hambrunas. Pero los hindúes pueden tomarse este hecho como una auténtica provocación a sus principios religiosos. Ya se han dado bastantes enfrentamientos por esta razón.

Es habitual que los agricultores consideren a la vaca como un miembro más de su familia. Cuando nace un becerro, avisan a todos los vecinos y lo festejan como si de un bebé se tratara. El gobierno también vela por estos animales. Existen asilos donde se puede dejar a una vaca anciana sin coste alguno. En Madrás, la policía recoge las reses perdidas y les permite pastar en unos prados cercanos a la estación de ferrocarriles.

> El escritor Monier Williams dijo: «El menor pelo de su cuerpo es inviolable. Todos sus excrementos son dignos de veneración. Ni una partícula debe ser despreciada como impura. Al contrario, el agua que despide debe ser guardada como la más santa de todas las aguas, un líquido que borra los pecados y santifica todo cuanto toca; por otra parte, nada purifica tanto como el excremento de vaca...»

Krisna, una de las divinidades más queridas y populares del hinduismo.

Los excrementos de vaca son muy valorados en la India. Son un potente fertilizante para los campos y garantizan buenas cosechas. Mezclados con agua, son utilizados para hacer el suelo de las casas. Una vez esparcido se seca y se convierte en un suelo muy útil y fácil de limpiar.

RITOS, CELEBRACIONES Y PRECEPTOS

El hinduismo no cuenta con una jerarquía doctrinal ni con una estructura eclesiástica rígida diseñada para aleccionar a sus fieles e indicarles el camino a seguir. Para entendernos, ni cuenta con una figura que pueda considerarse como el equivalente del Papa cristiano, ni con una jerarquía clara formada por obispos o similares, ni sus fieles se ven sometidos a una rígida disciplina que les indique qué deben o qué no deben hacer o cómo y cuándo deben o no deben hacerlo. Es este sentido, y en general, una religión que promueve que sus fieles puedan honrarla prácticamente como mejor les parezca, haciendo uso de una especie de culto «a la carta» que les otorga una gran libertad de movimientos. De hecho, existen muy pocas creencias, ritos o prácticas compartidos por todos los hindúes. Sí es cierto que la mayoría de ellos saludan la llegada de un nuevo día entonando el sagrado *gayatri* justo cuando el sol comienza a despuntar, pero no existe acuerdo sobre qué otras oraciones deben realizarse a lo largo del día o cómo y cuándo deben entonarse estas plegarias. Shiva, la diosa Devi o Vishnú son ídolos adorados por la mayoría de los hindúes, pero cada uno de ellos también le dedicará sus más encendidas oraciones a centenares de pequeños dioses que son idolatrados en ciertas aldeas o incluso exclusivamente en familias determinadas (como ya explicábamos en el capítulo dedicado a la mitología). Así las cosas, es complicado tratar de uniformar una religión basada en la libertad individual, al menos en lo referente al tema que nos ocupa, en la cual cada individuo tiene la percepción de un modelo propio a seguir; una forma de hacer en lo religioso que da forma y sentido a su vida. No en vano, el hinduismo es una de las pocas religiones, por no decir la única, en la que la experiencia religiosa personal es por definición válida (*svatssiddha*: perfecta para uno mismo), y en la que cada practicante tiene una divinidad favorita (*istadevata*).

> A pesar de la enorme libertad de la que disfrutan los hindúes a la hora de seguir su religión, existen prácticas comunes respetadas por todos. Algunas de ellas son reverenciar a los brahmanes y a las vacas; no ingerir carne o contraer matrimonio exclusivamente con miembros de su misma casta.

EL DIOS EN CASA

Diariamente, los hindúes rinden culto a las figuras que guardan en sus casas y que representan a sus dioses predilectos. Este ritual lo realiza generalmente la esposa, puesto que la creencia popular mantiene que son ellas las que cuentan con un mayor poder a la hora de interceder ante las divinidades. Pero este primer rito diario, conocido como *puja*, no se resuelve simplemente con una oración. Cuando el sol despunta, la esposa despierta al dios suavemente a través de la música de una pequeña campana de cobre. Después, lo purifica utilizando agua y, como si se tratara del más distinguido huésped, le ofrece flores y hojas de plantas aromáticas. Después de estas primeras atenciones llega el momento de decorarlo con delicadas guirnaldas hechas con fragantes flores, y utilizando pastas aromáticas fabricadas con incienso y sándalo. El ritual prosigue dibujando círculos con una lámpara de aceite *(arati)* delante de la representación del dios y haciendo sonar una pequeña campana al mismo tiempo. La ofrenda se completa depositando ante la divinidad arroz y frutas, siempre las mejores porciones, el resto será consumido por los habitantes de la casa. Antes de dejarlo reposar después de este banquete, la esposa lo abanicará suavemente.

> Las mujeres también se ocupan de hacer ofrendas a serpientes locales, a espíritus (que pueden ser malignos o bondadosos) y que habitan en su propio jardín, a árboles o en determinados espacios de la aldea considerados mágicos.

RITUALES ESPECIALES

En el hinduismo existen determinados ritos que sólo pueden ser realizados por los sacerdotes o por los brahmanes. Son los rituales conocidos como *Shrauta*, complejas y muy elaboradas ofrendas al dios Agni, el omnipresente y vital dios del fuego, alrededor del cual se sientan el resto de deidades de la mitología hindú. Estos «sacrificios del fuego» buscan atraer todo el poder de los dioses

> La importancia que se le otorga en el hinduismo a la devoción a los dioses queda claramente expresada por Krishna en el *Bhagavad Gita*: «Quienquiera que me ofrezca con amor una hoja, una flor, un fruto o incluso agua, verá como yo apareceré en persona ante el devoto de mente pura y con agrado participaré con él de esa ofrenda. Cualquier cosa que tú hagas, cualquier cosa que tú comas, cualquier cosa que tú ofrezcas como una oblación al fuego sagrado, cualquier cosa que tú entregues como un regalo, cualquier cosa que tú hagas como penitencia, ofrécela a Mi Persona».

y de la naturaleza y canalizarlo a través del fuego. Aunque acostumbran a realizarlos en beneficio de toda la comunidad, en determinadas ocasiones, algunos particulares pueden pagar sustanciosas cantidades de dinero a los brahmanes para que realicen estos rituales en su propio beneficio.

Otros ritos especiales son las *griha*, plegarias y ofrendas que sólo pueden enseñar los sacerdotes y que deben realizarse en casa y de forma particular. Las *griha* son ofrendas a los dioses que se realizan para celebrar la llegada de las lunas llenas y nuevas, el inicio de una nueva estación, la recolección de las primeras frutas de la temporada, la construcción de una nueva casa, el nacimiento de un hijo... y, en general, cualquier acontecimiento que se salga de la rutina y suponga un motivo de alegría.

SAMSKARA

Existen dieciséis rituales de purificación que todos los hindúes deben cumplir a lo largo de su vida. Son los *Shodasha Samskara*, que acompañarán al fiel desde que se encuentra en el vientre de su madre hasta el día de su muerte.

GARBHADANA SAMSKARA

Es el primer ritual, previo al nacimiento e incluso previo a la concepción. Es la plegaria que realizan las parejas cuando se disponen a engendrar un hijo. La importancia de este rito radica en que convierte el acto de la concepción en algo que va más allá de lo físico y que desde ese momento pasa a merecer tratamiento de sagrado. Mediante el *Garbhadana Samskara*, además, se pretende purificar y dar fuerza al futuro hijo.

Pumsavana Samskara

Se trata de un rito que se acostumbra a practicar entre el segundo y el cuarto mes del embarazo. Su principal objetivo es favorecer que el futuro bebé sea un niño (para asegurar la continuidad del apellido paterno y para mantener la tradición hindú), pero el *Pumsavana Samskara* también busca asegurar la salud del feto y velar por la perfecta formación de sus órganos vitales, independientemente de su sexo.

Simantonoyana Samskara

Este ritual se realiza entre el cuarto y el quinto mes del embarazo, cuando se supone que la mente del futuro bebé comienza a desarrollarse. El *Simantonoyana Samskara* busca proteger al feto, y especialmente a su aún delicada mente en formación, de todas las influencias negativas que puedan llegarle en un momento tan crítico como este, al mismo tiempo, que estimula el desarrollo de sus capacidades intelectuales.

Jatakarma Samskara

Este es el primer ritual al que se enfrenta el niño después de su llegada al mundo. El *Jatakarma Samskara* ayuda al recién nacido a despertar al nuevo mundo y a despejar la mente, le da fuerzas para enfrentarse a su recién estrenada vida y le asegura una larga estancia en este mundo.

Namakarana Samskara

Once días justos después de su nacimiento, y once días después de la realización de su primer rito, el

Jatakarma Saskara, se realiza el siguiente ritual, el *Namakarana Samskara.* En esta ceremonia, y acompañado por toda su familia, el recién nacido recibirá su nombre.

NISHKRAMANA SAMSKARA

Con este nombre se conoce la primera salida oficial del bebé fuera de los confines de su hogar. Una auténtica fiesta. Es su presentación ante vecinos, amigos y parientes lejanos.

ANNAPRASHANA SAMSKARA

El primer día en el que el recién nacido ingiere comida sólida, habitualmente arroz, es conocido como *Annaprashana Samskara.* Una fecha que acostumbra a hacerse coincidir con sus seis meses de vida.

KARNAVEDHA SAMSKARA

Algo después del *Annaprashana,* y en esta ceremonia, los lóbulos de las orejas del bebé serán perforados para que puedan llevar pendientes.

CHUDAKARANA SAMSKARA

El primer ritual realizado en sociedad, en compañía de criaturas de la misma edad que el protagonista. Al final del primer año de vida, o a lo largo de éste, se afeita la cabeza del niño o de la niña dejando solamente un mechón en lo alto. En esta ceremonia, además de las familias de los niños, participan religiosos y grupos que entonan cantos védicos.

Vidyarambha samskara

Este ritual supone una manera ceremonial de presentar al niño ante las puertas de la sabiduría. Cuando empieza a cursar estudios primarios se le presenta ceremoniosamente ante el alfabeto.

Upanayana samskara

Una vez iniciado en el estudio formal de los Vedas llega el momento de uno de los más importantes y respetados de los samskaras, el *Upanayana*, que acostumbran a cumplir sólo aquellos que pertenecen a las familias más pudientes. Tradicionalmente, y después de realizarlo, el joven abandona la casa familiar para compartir la vivienda del gurú.

Esta ceremonia de iniciación también es conocida como el «Segundo Nacimiento», lo que nos da la medida de su importancia. En el transcurso del ritual el niño será llamado *Dvija* (el nacido dos veces) y deberá llevar un cordón sagrado llamado Yajnopavita. La ceremonia comienza cuando el *Dvija* pronuncia las siguientes palabras:

«*Om yajnopaveetam paramam pavitram prajapateryat sahajam purastaat.*
Aayushyamagryam pratimuncha shubhram yajnopaveetam balamastu tejah».

«El cordón sagrado es Grande y Puro. Comenzó a existir conjuntamente con el nacimiento de Brahma. Es tan antiguo como él. Así que este cordón, bendecido por los seres celestiales, nos dé una larga vida, fuerza y energía».

El cordón sagrado se coloca por encima del hombro izquierdo, haciéndolo pasar después por debajo del brazo derecho. El *Dvija* deberá llevarlo siempre de esta manera, a menos que alguien muera o nazca dentro de su familia. El cordón sagrado está tejido con tres cuerdas diferentes, cada una de ellas formada por nueve cordoncillos enrollados sobre sí mismo. Una de las cuerdas está hecha de algodón (por Brahmin), otra de cáñamo (como homenaje a Castrilla) y la tercera de lana (en honor de Vaishya).

A lo largo de la ceremonia el niño aprenderá el sagrado *Gayatri Mantra*, que le será susurrado al oído por su padre y por su gurú (llamado *Brahmopadesha*). Sólo ellos están autorizados a pronunciar las sagradas palabras:

«*Om Bhuh, Om Bhuvah, Om Suvah, Om Maha, Om Janah, Om Tapah, Om Satyam,*
Om, Tat Savitur vareniam, Bhargo devasya dhimahi, Dhiyo yonah prachodayat».

«*Om Tierra, Om Cielo, Om Paraíso, Om La Región, Om Lugar de Nacimientos,*
Om Mansión de los Benditos, Om Poseedores de la Verdad,
Permitidnos pensar en el esplendor amoroso del dios sol, y que él inspire nuestras mentes».

SAMAVARTANA SAMSKARA

Una vez concluidos los estudios, y con su graduado en estudios Védicos bajo el brazo, el discípulo puede abandonar la casa de su Guru y regresar a su lugar de origen para volver a reunirse con su familia y amigos. Ha llegado el momento de casarse y fundar su propia familia, convirtiéndose en un cabeza de familia (*grihasthashrama*).

Vivaha samskara

La ceremonia matrimonial clásica de la sociedad hindú. Para muchos es el más importante de todos los *samskaras*, por lo que le dedicaremos un capítulo más adelante.

Panchamahayajna samskara

El matrimonio debe honrar diariamente a los dioses, los antecesores, los poseedores de la Verdad, a la humanidad y a todas las cosas creadas por los dioses.

Vanaprastha samskara

Según la tradición Védica, el *Vanaprastha* representa la tercera etapa de la vida, después del *Brahmacharya* (el período Védico en el que se pasa de estudiante a discípulo) y del *Grihasta* (en el que se convierte en cabeza de familia y dueño y señor del hogar). En el *Vanaprastha*, el hombre deja atrás su vida y el mundo en el que se desenvolvía y se retira a los bosques (con o sin su esposa) para vivir de forma ascética, meditando y dedicando todo su tiempo al estudio de las escrituras sagradas.

> En realidad, existen cuarenta *samskaras* diferentes, pero son estos dieciséis los que aún hoy en día observan y cumplen los practicantes del hinduismo.

Antyeshti samskara

El sacramento final, los ritos funerarios. El difunto es transportado a través de las calles en procesión, hasta ser dispuesto encima del *Agni*, el fuego sagrado. Después de la cremación, sus familiares realizan ofrendas por el alma del difunto, que deberá esperar un año para entrar en una nueva fase de su existencia.

EL MATRIMONIO

El día de la boda *(Vivaha)* es para el hindú mucho más que un simple intercambio de votos matrimoniales y de anillos cargados de simbolismo. Antes y durante la ceremonia nupcial, se realizan muchos ritos bajo la atenta mirada de los dioses familiares. Se trata de prácticas que demuestran la importancia de la unión de los contrayentes y lo indispensable de las bendiciones que les deben otorgar los dioses que veneran.

Misri (Ceremonia de los anillos)

Todas los participantes de todas las ceremonias hindúes comienzan siempre invocando la bendición de Ganesha. La ceremonia de los anillos no es una excepción. Siete mujeres casadas, llevando cada una de ellas una figura que represente a un dios distinto, uno por cada día de la semana, dibujan con polvo rojo el símbolo de Ghanesa en un bote que contiene *misri* (azúcar cristalina). De esta manera, le piden al poderoso dios elefante que bendiga la unión y que la ceremonia transcurra sin ningún contratiempo. Las mujeres también aprovechan para dibujar símbolos y motivos en una pieza de tela blanca para alejar a los *Nazar* (malos espíritus) que tienen una tendencia especial a la hora de aparecer en las ocasiones felices.

Entretanto, la pareja y sus familiares se dedican a rezar y a realizar ofrendas a sus dioses familiares, dándoles las gracias y rogándoles su bendición. Además de a sus dioses más cercanos y queridos, todos deben rendir honores a Ganesha, Varun Devta, Laxmi y Narayan, los dioses que gobiernan los nueve planetas, y a Om (el triunvirato formado por Brahma, Vishnú y Shiva).

Como forma de escenificar la bienvenida que los contrayentes se dan los unos a los otros dentro de sus vidas, la pareja se intercambia guirnaldas realizadas con flores frescas y perfumadas. Esta parte de la ceremonia se conoce como el *Varmala*.

Como el oro dura para siempre, es el material escogido para fabricar los anillos que los contrayentes se intercambiarán en señal de una larga vida matrimonial. Los anillos deben colocarse en el cuarto dedo de la mano, el anular, puesto que los hindúes consideran que está íntimamente conectado con el corazón. Una vez el novio tenga colocado en el cuarto dedo de su mano izquierda el anillo ofrecido por la novia, y ésta tenga el suyo en el cuarto dedo de su mano derecha, sus corazones estarán unidos para siempre.

En ese momento todos los miembros de la familia del novio depositarán una cesta con frutas frescas, ropas, productos cosméticos y elementos ornamentales (guirnaldas, flores, plantas aromáticas...) a los pies de la novia, para dejar claro que la aceptan como un miembro más de su propia familia, y para desearle felicidad y prosperidad en la aventura que acaba de emprender. Los padres del novio deben entonar una promesa de matrimonio ante la pareja y repartir *misri* (azúcar cristalina) entre los miembros de la familia de su recién estrenada nuera para confirmar la unión de los contrayentes.

> Los hindúes están convencidos de que los malos espíritus, a los que llaman *Nazar*, tienen una especial querencia por dejarse caer en los lugares a los que no han sido invitados, sobre todo si se está celebrando un acontecimiento feliz.

Mehndi (Decoración de manos y pies con henna)

Esta festiva celebración, en la que participan todos los miembros de la familia, tiene un origen que se remonta a la época Muslim. Tradicionalmente, el *Mehndi* debe realizarse la tarde anterior al enlace matrimonial. Es principalmente una reunión de mujeres, aunque en determinadas ocasiones los hombres son invitados para asistir como simples espectadores. Durante el *Mehndi* la futura esposa debe lucir en sus pies y manos intrincados y preciosistas dibujos realizados con pasta de henna. Para lucir ante sus invitadas esos complicados diseños, la novia se tiene que someter a una pesada sesión que acostumbra a prolongarse más de cuatro horas. Además, deben pasar otras tantas para que la pasta se seque completamente. Sus invitadas pueden completar los complicados diseños de sus pies y manos añadiendo pequeños detalles. El *Mehndi* representa la fuerza del amor dentro de un matrimonio feliz y dichoso. Lo más oscuro es el *Mehndi*, los dibujos de henna, lo más fuerte, el amor.

La pasta de henna, con la que se realizan los complicados dibujos en los pies y las manos de la novia el día del Mehndi, está fabricada a base de henna, aceite, zumo de limón y un poco de agua mezclada con un té muy fuerte y concentrado que se prepara especialmente para este fin.

SANGEET (LA MÚSICA)

Para los hindúes, la música representa el alma de cualquier ceremonia matrimonial, sin ella no tendría apenas nin-

---

La música que acompaña las celebraciones de las bodas hindúes actuales procede de las grandes superproducciones musicales cinematográficas que se ruedan en Bombay, conocida como *Bollywood*, el Hollywood indio, por la cantidad de películas que se producen cada año. La cinematografía India cuenta con un *starsystem* propio y produce más películas al año que la industria estadounidense.

gún sentido. La música es la representación terrena de conceptos tan importantes para el hinduismo como la fe y el origen. Sin música o sin elementos festivos, una boda hindú quedaría desangelada. En la noche del *Sangeet*, el entretenimiento está asegurado. Se contratan los servicios de cantantes y orquestas que, en la actualidad, dejan de lado las canciones tradicionales e interpretan las más populares y conocidas canciones de los exitosos musicales producidos en *Bollywood*. Mientras, familiares y amigos de los contrayentes comen, beben y bailan durante toda la noche.

Sagri (Las presentaciones)

Las hermanas y todas las mujeres que están estrechamente vinculadas con la familia del novio, deben visitar la casa de la futura esposa antes de la celebración de los ritos nupciales. Pero no pueden presentarse con las manos vacías ante quien formará en breve parte de su familia. Llevan con ellas perfumes, productos cosméticos, preciosas flores y guirnaldas, joyas, complementos... Tras las presentaciones de rigor, las hermanas del novio acompañan a su futura cuñada a su habitación y la ayudan a adornarse con los regalos que ellas mismas le han traído.

> La ceremonia del *Sagri*, en la que la novia se presenta oficialmente a todas las mujeres de la familia de su futuro esposo, es la mejor manera para potenciar la relación entre estos futuros familiares y para favorecer que el afecto nazca entre ellos lo más rápidamente posible.

Nav-Graha Puja (Oraciones a los Nueve Planetas)

Se trata de una oración que deben entonar tanto los contrayentes como las familias de ambos. Es la plegaria a los nueve planetas del sistema solar. Los antiguos hindúes ya descubrieron la tremenda influencia que los cuerpos celestiales podían tener en el destino de los humildes seres humanos, y entre estos astros, suponían que los nueve planetas eran los que tenían los efectos más potentes y profundos. No es extraño pues que durante esta puja, los novios y su familia rueguen encarecidamente a los dioses asociados a los planetas que sean condescendientes con ellos y les otorguen su bendición eterna.

GHARI PUJA

Es la última y la más importante de las prácticas religiosas que deben realizarse la víspera de la celebración de la boda. Una procesión, formada por las respectivas familias, acompañadas por un sacerdote, visita las casas de los contrayentes. En la del novio, el religioso acompaña sus plegarias con ofrendas de productos como arroz, aceite, coco, granos de trigo, nueces y otros muchos frutos y especias. Las mujeres casadas de la familia dejan caer granos de trigo en pequeños recipientes de madera, que forman parte del patrimonio familiar, para simbolizar que el matrimonio que está por llegar disfrutará siempre de la prosperidad y de la alegría. El novio debe ofrecer entonces un puñado de semillas al sacerdote, como demostración fehaciente de que siempre se mostrará caritativo e intentará ayudar en la medida de lo posible a aquellos que no han tenido la suerte de ser tan afortunados como él.

> Durante la *Ghari Puja*, tanto el novio como su futura esposa visten viejos y desastrados ropajes que les han cedido o que han buscado para ellos sus amigos y familiares. El presentarse de esta manera frente a quienes vienen a verlos, se entiende como un símbolo de que muy pronto dejarán atrás su antigua vida para afrontar un nuevo camino.

Ataviadas con los preciosos vestidos que más tarde lucirán en la boda, y adornadas con guirnaldas, las madres del novio y de la novia, cada una con un recipiente de barro que contiene agua fresca entre las manos, se dirigen al encuentro de los contrayentes. En el umbral de la casa de cada familia, les esperan los que en breve se convertirán en su yerno y su nuera. Ambos deben cortar el agua que les ofrece la que será su suegra con un cuchillo, para alejar así definitivamente a los espíritus malignos.

SWAGATAM (LA BIENVENIDA)

Después de que la novia se haya vestido con las preciosas y caras galas que lucirá en el momento de tomar como esposo a su novio, sus hermanas o amigas acompañarán a éste hasta la casa de su futura esposa. En la entrada, el novio debe colocar delicadamente su pie derecho encima del pie derecho de la novia. Este acto se entiende como la demostración palpable de que debería ser él, el hombre, el que ostentará la fuerza a lo largo de la vida en común. Después de poner su pie sobre el de la novia, el futuro esposo puede entrar en su casa. Allí le esperan los padres de ella, que mojarán sus pies con generosos chorros de leche y agua, dado que la cantidad de plegarias que han precedido a este momento le han convertido en una especie de reencarnación terrenal de Vishnú.

> Durante la bienvenida, la *Swagatam*, y antes de entrar en la casa de sus suegros, el novio coloca su pie derecho sobre el pie derecho de la novia, para demostrar ante ella y ante sus familiares quien ostentará la fuerza y el papel dominante a lo largo de su nueva vida en común.

Hathialo (La unión)

Para dar comienzo a esta ceremonia, una de las esquinas del sari que luce la novia se ata fuertemente a un pañuelo que debe ser llevado por el novio. Las manos derechas de los contrayentes también se atan con un cordón que ha sido bendecido a través de cánticos y plegarias realizados por un sacerdote. No es difícil entender el simbolismo que esconden ambas acciones: favorecer que la unión de los contrayentes sea fuerte, larga y provechosa. Una vez unida, la pareja reza a los dioses para que les den fuerza y coraje para luchar por su unión y les ruegan su bendición.

La ceremonia nupcial

Como ocurre en las ceremonias occidentales, las hindúes también son celebradas por un sacerdote, y también se realizan ante amigos y familiares. El novio y la novia se sientan frente a un fuego sagrado mientras el religioso recita plegarias y oraciones recogidas en las Sagradas Escrituras. De acuerdo con los principios del hinduismo, el fuego es considerado como el continente y la representación de la vida. Su papel a lo largo de la ceremonia es esencial. Tras las lecturas y las oraciones, el sacerdote dirige a varios miembros de ambas familias para que hagan sus ofrendas ante el fuego sagrado, testimonio de la unión que va a celebrarse. Más tarde, la pareja debe caminar cuatro veces alrededor de él mientras intercambian promesas y votos de

> El fuego, Agni, cumple un papel esencial a lo largo de toda la ceremonia. Es el invitado de honor. Los hindúes creen que es el continente y la representación de la vida, puesto que alrededor de él, buscando su calor y su refugio, se sientan todos los dioses y las diosas que existen.

amor, fidelidad y respeto, y ruegan por una relación fructífera. Es entonces cuando el novio debe tomar delicadamente la mano de la novia y colocarla sobre su frente, para demostrar ante su familia y sus amigos que la acepta como esposa para lo bueno y para lo malo, en la salud y en la enfermedad, y que su destino es tomar como esposa a la mujer que tiene enfrente. Tras este juramento, los novios unen sus cabezas como muestra de que a pesar de estar separados, puesto que son dos individuos diferentes, desde ese día y en el tiempo de vida que les quede, serán un mismo cuerpo, una misma mente y un mismo espíritu.

Kanya Daan (La entrega de la novia)

Los padres de la novia se aproximan al altar, situándose entre los novios, cerca del fuego sagrado, y realizan la entrega de su hija al novio y su familia, confiando en que la protejan, la amen y consigan que sea una mujer dichosa.

Ashirwaad (La bendición)

Cumplidos todos los pasos que dan validez a la ceremonia del matrimonio, el sacerdote explica a los recién casados sus responsabilidades frente al otro y les otorga su bendición.

Datar (La ceremonia de la sal)

Después de que todos los familiares y amigos presentes hayan felicitado a los recién casados, ambos se dirigen hacia la casa del novio. En la entrada, antes de traspasar la puerta, los pies de la nueva señora de la casa son enjuagados por los padres de su esposo. Luego se le coloca un recipiente plano en la cabeza y se deja caer leche encima. Con esta acción la novia demuestra que mantendrá el respeto a los miembros de su nueva familia y que si existe alguna vez algún desencuentro entre alguno de sus miembros ella intentará solucionarlo. Ayudada por sus suegros la novia cogerá después un buen puñado de sal y la depositará en las manos de su marido, que deberá volverla a colocar entre las manos de su esposa sin que se derrame un solo grano. Los recién casados deben repetir este traspaso tres veces, para simbolizar que como la sal da gusto y mejora cualquier plato, así la novia se mezclará y se convertirá en un miembro más de la familia de su esposo.

Durante la ceremonia de la sal, el *Datar*, los novios deben pasarse un puñado de sal del uno al otro tres veces sin que se derrame un solo grano. En caso de que llegue a derramarse, se interpretará como un augurio de problemas futuros entre la reciente esposa y la familia de su marido.

LUGARES SAGRADOS

Todas las religiones tienen sus lugares santos. Son espacios que aportan datos sobre la historia mítica de la religión. Evidentemente, estas zonas siempre se encuentran en el país en el que se desarrolla el culto.

Habitualmente existen dos tipos de lugares santos en la mayoría de las religiones: los accidentes geográficos (montañas, valles, ríos) y las ciudades. Los estudiosos de la religión opinan que este tipo de elección, presente en casi todos los credos, se debe a diferentes razones.

Esta es una constante que aparece en todas las religiones y en todos los países. Esos lugares, que para el devoto están cubiertos de un poder mágico, se convierten en lugar de peregrinación. Es una forma de ir en busca de la fe, de demostrar que uno es capaz de buscar la iluminación. También sirven para que el feligrés sea capaz de alterar su rutina diaria, su vida cotidiana, demostrando que la fe está por encima de su comodidad.

Éste es el principio que conduce a un fiel de cualquier religión a visitar esos lugares que se consideran santos. Para muchos, la peregrinación es un ejemplo físico del camino que tendríamos que emprender espiritualmente. Todas las religiones abogan por un contacto íntimo con el dios. Por ello, resulta básico evolucionar, hacer un camino en su busca. La peregrinación es una parábola de ese sendero que cada cual debe emprender interiormente.

Dependiendo del tipo de religión, la peregrinación será obligatoria u opcional. Aunque no sea un mandato explícito, siempre está bien vista por el resto de la comunidad. Por ejemplo, dentro del catolicismo no es obligatorio ir a Roma, pero en una sociedad muy religiosa hacer esta visita sirve para ganar el respeto y la admiración de los demás.

> Todas las religiones antiguas tienen una extensa historia que se vincula a lugares concretos. En muchos casos, es difícil dar una ubicación concreta a esos sitios, pero la mayoría de cultos han optado por buscarles unas coordenadas geográficas. También existen otros lugares semisagrados. Ciudades, por ejemplo, que intentan conseguir el calificativo de santas atribuyéndose pasajes apócrifos de las escrituras sagradas.

En este capítulo abordaremos los diferentes tipos de lugares más habituales en todas las religiones. Ofreceremos una explicación global, basada en los estudios de muchos especialistas en la materia. Tras esta introducción, nos centraremos en los lugares sagrados hindúes. Contestaremos a las cuestiones de por qué lo son, qué rituales se llevan a cabo, qué historia encierran y qué encontrará el visitante en cada uno de ellos.

LA PEREGRINACIÓN

En todas las religiones, la costumbre de peregrinar se asienta sobre todo durante la Edad Media. Es en este período donde las comunicaciones permiten desplazamientos más prolongados. También es el momento en que la primitiva separación entre la vida social y la religión sugiere la posibilidad de viajar a un lugar santo para empaparse de su misticismo. Por lo tanto, la mayoría de los caminos a lugares sagrados, que ya estaban marcados en la antigüedad, adquieren mayor importancia y se trazan rutas más definidas que ayudan al peregrino a alcanzar su meta.

La peregrinación no deja de ser un símil de la vida. Se trata de recorrer un camino para acercarse a la santidad. Los obstáculos y los sacrificios que supone la caminata son pues los escollos que tenemos que vencer para no apartarnos del camino.

En concreto, en la India, aparte de las personas que visitan las ciudades santas, existen todavía auténticos peregrinos que han hecho del viaje su forma de vivir. Son los *shadus*, unos ascetas solitarios que han renunciado a la vida mundana para conseguir enriquecer su espíritu. Peregrinan siempre a pie, practican disciplinas de concentración y largos ayunos. Acostumbran a vestir de naranja, ya que éste es el color que los hindúes emplean para representar la espiritualidad. Dejan crecer sus barbas y cabellos y suelen peinarse con rastas o exóticos moños. Suelen untar su cuerpo con cenizas humanas, para demostrar la impermanencia de la carne. Algunos llevan consigo un tridente, para homenajear a Shiva. La mayoría se pinta en la frente el tercer ojo, con colores rojos y blancos. Éste es el ojo de la sabiduría, que les permitiría ver más allá de las formas de este mundo. El alcohol y la carne están terminantemente prohibidos, sobre todo en los lugares santos. Su dieta es estrictamente vegetariana y consta de trigo, yogurt, queso y vegetales, todo ello adobado con especias muy picantes.

> Como ocurre en todas las ciudades a las que se peregrina, además de los devotos se pueden encontrar a muchos turistas que acuden para visitar la ciudad o para acercarse un poco a la religión.

ACCIDENTES GEOGRÁFICOS

Como se ha comentado, todas las religiones tienen relieves geográficos que acaban convirtiéndose en lugares en los que los devotos rinden culto.

Las montañas, los lagos, los ríos, las cordilleras, las desembocaduras y demás accidentes geográficos enfrentan al hombre con la inmensidad. Sobre una montaña en la que se divisan otros montes y valles, el ser humano toma conciencia de su pequeñez, de la necesidad de que exista un ser superior que haya construido todo aquello. Es habitual, pues, que en esta situación el hombre sea más proclive a entender la existencia de Dios.

Las montañas, por ejemplo, al ser elevadas nos sitúan cerca del cielo, la morada que en casi todos los credos se cree que alberga a los dioses. Los ríos, en cambio, son fuente de vida y de muerte. La sequía o las inundaciones pueden causar la total destrucción. Un río constante garantiza la supervivencia de sus habitantes. Por tanto es normal que esos accidentes geográficos sirvan para que el hombre crea en la existencia de un ser superior.

> En concreto, el hinduismo, tiene muchas montañas y ríos sagrados. El Himalaya y el Ganges son los principales, como se verá a lo largo de este capítulo. Seguramente, la razón radica en la enormidad de ambos. El hindú practicante debe recordar en cada oración a los ríos y a las montañas sagradas.

Sin embargo, ¿por qué hay algunos accidentes geográficos que son «sagrados» y otros que no? La elección suele tener que ver con la historia del pueblo. El río que provee de vida a mayor número de habitantes será más santo que un afluente del que apenas pueden disfrutar unos pocos. Los valles que sirvieron para proteger a sus habitantes de invasiones extranjeras, tendrán un halo místico muy superior a aquéllos que pasaron de manos de unos conquistadores a otros y, por tanto, en los que no se pudieron asentar las historias míticas.

Por lo tanto, tenemos tres argumentos que convierten a los accidentes geográficos en lugares sagrados: la inmensidad, la necesidad y la historia. Estas tres razones

Hanuman el dios simio que representa la unión de la fuerza bruta y la inteligencia.

son como los mechones de una trenza. Es imposible saber si uno de ellos es más importante que otro.

CIUDADES SAGRADAS

Muchas teorías hablan de por qué una ciudad alcanza la categoría de sagrada y otra no. La mayoría de las explicaciones son más racionalistas que místicas.

Habitualmente, la ciudad sagrada coincide con la capital de la civilización que adopta la religión. Ello se debe a la necesidad de centralizar, no tan sólo el poder, sino también el conocimiento. El núcleo más próspero económicamente es el que se puede permitir que algunos de sus ciudadanos se dediquen al estudio de lo sagrado. Muchos ven esto como una manipulación de la religión. Los poderosos la alojan cerca, para poder emplearla a su gusto. Sin embargo, esta cuestión no es tan clara. Puede que en algunos casos haya sucedido así, pero en otros se debe simplemente a que cuando se han cubierto las necesidades básicas de una población es mucho más fácil que algunos de sus miembros puedan dedicarse al estudio. Esto ocurre en otras áreas del saber y, por supuesto, también en la religión.

Por otra parte, existen ciudades sagradas que siguen el principio inverso. Se trata de zonas muy pobres, habitualmente desatendidas por el gobierno. En esas áreas, existe un fuerte sentimiento de injusticia social. Por ello, es habitual que surjan líderes espirituales que exijan justicia y que apelen a un nuevo orden tanto místico como social. Los habitantes de estos lugares están especialmente abiertos a seguir un nuevo credo que les rescate de sus miserias y que les cohesione como grupo.

Por último están otras ciudades que sin ser la capital ni ser especialmente pobres también alcanzan el estatus de ciudad sagrada. ¿A qué se debe? Normalmente, nos encontramos ante urbes prósperas que son sedes comerciales de gran interés. De esta forma, se vincula la ciudad a la religión, consiguiendo una retroalimentación. Los ciudadanos favorecen al régimen que comparte su culto. Y por otra parte, se consigue que los peregrinos establezcan un flujo que beneficia a la urbe.

Algunos estadistas e historiadores creen que la santidad de muchas de estas ciudades se debe a intereses políticos y estratégicos. Para conseguir una zona de vital importancia, se le atribuyen estas virtudes. De esa forma, se conseguirá que los fieles la defiendan a cal y canto de cualquier invasión. La fe es capaz de movilizar a más personas que los intereses políticos.

> El problema de las ciudades santas se da cuando coinciden en ellas el culto de más de una religión. El ejemplo más claro de este caso es Jerusalén que resulta sagrada para musulmanes, cristianos y judíos.

Hasta aquí hemos abordado la explicación más prosaica, la que une el destino santo de una ciudad a razones económicas o estratégicas. Sin embargo, también hay otras teorías al respecto que huyen de las argucias del poder.

Algunos estudiosos del esoterismo y algunos científicos especialistas en magnetismo, creen que hay zonas concretas del planeta en el que se da un flujo especialmente intenso de las energías. Estos lugares, por alguna razón, atraen a los hombres y despiertan su vena más mística.

Por lo tanto las ciudades sagradas serían esas áreas, en las que existen determinadas fuerzas que atraen a los hombres. Este caso, por ejemplo, es el de muchas catedrales románicas y góticas que se levantaron en templos que antes habían pertenecido a los druidas.

Varias son las ciudades en las que se dan cita los devotos hindúes. La mayoría se sitúan cerca del río Ganges. Y es que tan sagrados como el propio río son los accesos a éste. No es de extrañar, ya que en un principio éstos eran los que permitían que las personas pudieran beber y se pudiera abrevar al ganado. Por lo tanto, eran lugares de gran importancia que justificaban el viaje hasta ellos. Con el tiempo acabaron por convertirse en ciudades santas donde los creyentes podían peregrinar para llevar a cabo rituales concretos.

Las ciudades sagradas del hinduismo se llaman *tirtha*, que significa «vado». Esta palabra indica el lugar donde se podía cruzar un río. En el sentido figurado significa que ayudan al hombre a cruzar el río de las reencarnaciones.

Las ciudades sagradas del hinduismo siempre guardan estrecha relación con los acontecimientos narrados en los libros santos. En ellos se habla de regiones en las que vivieron los dioses y que pueden situarse, actualmente, en el mapa de la India.

Se puede peregrinar en cualquier época del año, pero hay algunas que invitan más a hacer el viaje. Se trata, especialmente, de la festividad de *Kumbha Melá*, que se celebra cada cuatro años sucesivamente en cuatro ciudades. En esta época se dan cita millones de hinduistas.

Ahora, la mayoría de estas ciudades, se han convertido en sorprendentes destinos turísticos. Y matizamos el término sorprendente, porque el viajero occidental, en muchas ocasiones, no está preparado para el espectáculo que ofrecen estas urbes: tumultos de creyentes o personas que van a morir y que aceptan su destino. En otros casos, la arquitectura o la cantidad de templos es lo que llama la atención del extranjero. Habitualmente, dentro del hinduismo, cada ciudad está dedicada a una divinidad. En esa capital del dios hay múltiples templos o estatuas que recuerdan su trayectoria y la de toda su familia.

Benarés, ciudad mística

También conocida como Varnasi y Kashi. Esta ciudad es equivalente a lo que es La Meca para los musulmanes, Roma para los católicos y Jerusalén para los judíos. En la urbe se pueden encontrar más de 200 templos y alrededor de 500.000 estatuas. La mayoría de estos edificios pertenecen al período del siglo XVIII en el que los musulmanes no ejercían el poder y todavía no habían llegado los británicos. Benarés, en aquel entonces, estaba gobernada por los marathas hindúes. Antes tuvo grandes templos, pero la mayoría fueron destruidos en los múltiples ataques que a lo largo del tiempo fue recibiendo la ciudad.

Benarés es una de las aglomeraciones urbanas más antiguas que existen en el mundo. Ha sido habitada de forma ininterrumpida desde la noche de los tiempos. En la actualidad, cuenta con 1,2 millones de habitantes.

Pese a que Benarés es su nombre más popular, ahora se llama Varnasi que es una mezcla de los dos ríos que en ella confluyen (Varuna y Asi). Se sitúa en el valle central del Ganges, donde se supone que Shiva estuvo durante mucho tiempo.

Por ello, la urbe al completo está dedicada a la deidad de la destrucción. Shiva, después de vivir en el Himalaya, se quedó a vivir en esta ciudad. Se dice que con sólo un baño en el Ganges consiguió purificarse por el pecado de haber asesinado. Por ello, los fieles, creen que el poder del Ganges crece en esta zona y esperan, al igual que su dios, obtener esa purificación profunda. Benarés aparece en muchas leyendas y epopeyas hindúes, por lo que tiene gran importancia para los seguidores de esta religión.

Como ya se ha comentado en el apartado dedicado al Ganges, para los hindúes son especialmente importantes las *ghats* o escalones que conducen al río. Benarés es el lugar donde se pueden admirar mejor. Deben haber unas 70 escalinatas de piedra a lo largo de seis kilómetros. Desgraciadamente, la falta de recursos del gobierno impide que se conserven correctamente y buena parte de ellas están desapareciendo a marchas forzadas. Lo mismo ocurre con los edificios cercanos al mítico río. En época de monzones el Ganges puede crecer hasta quince metros y muchos son las construcciones que sucumben a su paso. Desde el gobierno se ha iniciado el «Plan de Acción del Ganges», pero pese a los esfuerzos, es muy difícil depurar las aguas residuales y garantizar la salubridad de las mismas.

El culto a Shiva está presente en toda la ciudad. Y no hay que olvidar que éste es el dios de la destrucción. Por lo tanto, en Benarés existe un sentimiento estoico de aceptación de los desastres y también de la muerte. Esta urbe es famosa por sus cremaciones. Muchos moribundos llegan a la ciudad para exhalar allí su último suspiro, familias enteras arrastran el cadáver de su ser querido hasta Benarés para despedirse ahí de él. En la India, la madera es muy cara y una ceremonia de este tipo requiere unos 300 kilos. Además de la hornacina donde se depositarán las cenizas. Una familia puede endeudarse para conseguir que incineren a un allegado. El gobierno, para solventar los problemas derivados, ha instalado crematorios eléctricos, mucho más baratos e higiénicos. Pero los hindúes están convencidos que no son tan efectivos como el ritual clásico. Los fieles creen que en Benarés pueden obtener el aliento de Shiva que les conducirá directamente al Cielo o al final de las reencarnaciones. Pese a toda la

> Benarés supone un choque para cualquier turista. La muerte convertida en un hecho cotidiano suele sorprender a cualquier visitante, sobre todo si procede de Occidente. Para muchos, el espectáculo puede llegar a cambiar su visión de la vida.

teoría de las castas, la mayoría de hindúes que no han estudiado profundamente su religión tienen la idea básica de que si eres bueno vas al cielo y que si eres malo toca pasar por el infierno. Por ello, si se consiguen que los pecados se purifiquen es más fácil acceder al paraíso.

Dentro de Benarés, se encuentra el gran templo de Vishavanath. Se construyó en el lugar que Shiva mostró la columna de «luz infinita» con la que combatió a Brahma y Vishnú. Por ello, Benarés recibe el nombre de «ciudad de la luz». Este templo no se puede visitar si no se es hindú. Se sabe que fue reconstruido en varias ocasiones y que se conservan los cambios del siglo XIX. En los techos del templo hay 750 kilogramos de oro. Al lado del templo se encuentra una mezquita: Gyanvapi. Uno de los gobernantes mongoles intentó acabar con el culto hindú y edificó esta mezquita que tenía como objetivo reconvertir el milenario templo. La proximidad de ambos tensa las difíciles relaciones entre hindúes y musulmanes.

La ciudad de Haridwar

Esta es otra de las grandes «mecas» del hinduismo. Se encuentra a 250 kilómetros al norte de Delhi. El Ganges, a su paso por Haridwar, abandona la montaña y se interna en las planicies. Por ello, se cree que éste es un lugar especial, donde el poder del río sagrado se multiplica. La urbe santa está plagada de templos y puentes que son su principal atractivo. Muchos la consideran una de las ciudades más bellas de la India.

> Haridwar está considerada por muchos la segunda ciudad santa del hinduismo. A diferencia de Benarés, su culto es mucho más alegre y no existe una presencia de la muerte tan palpable. Esta ciudad es llamada también «la puerta del Ganges».

En este lugar no se plantean los mismos problemas que en Benarés en cuanto a salubridad se refiere. Como el río está muy cerca de las montañas, el agua es relativamente limpia. Y también muy fría. Pero ello no impide que se celebren muchos rituales. La arteria principal es el templo Har Ki Pauri, alrededor del cual se concentran multitudes para realizar los baños rituales.

Una de las más destacadas se realiza durante la puesta de sol. En ese momento se celebra el «Aarti» un precioso ritual que incluye música y canciones con las que se rinde homenaje al río sagrado. Los peregrinos colocan cestas trenzadas con hojas, repletas de flores y velas encendidas, que se dejan mecer río abajo, conducidas por la corriente.

Rishikesh: la puerta del mundo

Muy cerca de Haridwar se encuentra otra de las ciudades sagradas del Ganges: Rishikesh, también llamada la puerta del mundo de los dioses. El lugar se hizo famoso en la década de 1960, cuando los míticos *The Beatles* lo visitaron. Desde ese momento, se convirtió en una urbe de visita obligada para todos aquellos occidentales que pretendan conseguir un poco de misticismo oriental.

Pese a que para los hindúes sigue siendo un centro sagrado, la ciudad está enfocada para aquellos que quieran introducirse en el hinduismo. Para muchos se ha convertido en la ciudad de la meditación.

Tal vez por ello, su mayor atractivo son los *ashram*, unos centros en los que se enseñan las doctrinas y las técnicas de esta religión y se puede ahondar en el estudio del yoga y la meditación. Muchos de los maestros hablan varios idiomas, para facilitar el contacto con los alumnos, que en su mayoría acostumbran a ser extranjeros.

Es por tanto, la ciudad más fácil de comprender desde la mentalidad occidental. El ambiente es internacional, hay muchos cafés donde el viajero puede conectarse a internet, numerosas agencias de viaje y muchísimos restaurantes que ofrecen cocina de todos los lugares del mundo.

Los dos puntos de máximo ajetreo son los puentes de Shivananda y Laxam, que unen los barrios más animados de la ciudad. Allí se dan cita peatones, motos, bicicletas, vacas, monos... Son puntos de ebullición de la ciudad donde el peregrino puede tomar contacto con el pulso de la urbe.

Esta ciudad es el punto de partida de la gran peregrinación hinduista, el *Char dam*, que se celebra cada año entre los meses de mayo y octubre. El *Char dam* tiene como objetivo la visita a cuatro templos situados en ríos sagrados, todos a más de 3.000 metros de altitud.

Mathura: cuna de Krishna

Esta ciudad vio nacer a Krishna y se quedó para siempre impregnada del carácter festivo del dios. Es el contrapunto más claro a Benarés. En Mathura se festeja la vida en todas sus manifestaciones.

Como se explicó en el capítulo dedicado a la mitología, el tío de Krishna mandó matar a todos sus sobrinos y el dios tuvo que refugiarse en el bosque de Vrindaban, donde amó a cientos de pastoras que no podían resistirse a sus encantos. Esos bosques, que aparecen en múltiples pinturas, siguen albergando a muchos peregrinos que conmemoran las andanzas de su dios.

Mathura fue en la antigüedad un centro cultural de gran importancia. Es muy conocida la escuela Mathura que cultivó todas las representaciones artísticas (en especial la pintura y la escultura) y que configuró buena parte del arte hindú. En aquellos tiempos, la urbe era un centro cultural y político de gran importancia y allí se daban cita las principales personalidades de la región. De esa época se conservan aún algunos edificios en precario estado que hablan de la gloria de tiempos pasados. En Mathura el peregrino aprender a través de Shiva la importancia de celebrar la vida, de agradecer todo lo que se tiene y de disfrutarlo. Las fiestas, los cantos y los bailes son la tónica que impera en esta urbe.

> En algunas partes de la ciudad se practican las disciplinas tántricas. No es de extrañar, puesto que para muchos Shiva es el dios del sexo y el tantra se relaciona con el erotismo.

Agra: ciudad del Taj-Mahal

A 56 kilómetros de Mathura, se sitúa Agra. En muchos casos, se considera que la visita a ambas ciudades constituye un sólo objetivo para el peregrino.

Para cualquiera que apenas conozca el hinduismo, Agra es un nombre más, sin embargo, es más posible que le resulte familiar el principal edificio de esta ciudad: el Taj-Mahal. Esta preciosa construcción se ha convertido en el símbolo internacional de la India. Considerado una de las siete maravillas, este mausoleo agrupa una serie de templos que santifican la ciudad.

El Taj-Mahal fue construido por el emperador mongol Shah Jahan para honrar a su esposa Mumtaz Mahal, que murió en el parto de su duodécimo hijo. Se levantó entre 1632 y 1653. Este edificio muestra la síntesis del mejor arte hindú y musulmán y es un símbolo de la tolerancia entre las dos religiones, tan escasa en los tiempos que corren. Fue diseñado por arquitectos persas y presenta incrustaciones de piedras semipreciosas de varios países.

Agra era una ciudad sagrada mucho antes de la construcción del famoso mausoleo. Sin embargo, desde que éste se edificó, lo cierto es que el centro de atención se desplazó. Desde entonces ha habido muchas discusiones. Hay algunos que ya no la consideran una ciudad santa. Otros creen que esta construcción tiene demasiados rasgos arquitectónicos arábicos, por lo que no se puede considerar que honre a la ciudad hinduista. Pero, por suerte, la corriente predominante cree que este espléndido edificio invita a la paz y a la meditación, que son dos de las virtudes más valoradas en este credo.

> Muchos consideran que el Taj-Mahal es el edificio del amor. Es la expresión de todo lo que sentía el emperador hacia su mujer. Un homenaje póstumo tan sobrio como desgarrado que demuestra el dolor del amor y la tristeza de la muerte.

OTRAS CIUDADES SANTAS

Las anteriormente descritas son las principales urbes sagradas del hinduismo. Sin embargo, no son las únicas. La India es un país donde el misticismo rebosa y los lugares sagrados abundan.

Dwaraka, por ejemplo, es uno de ellos. Esta urbe se encuentra en el estado de Gujarat y es una importante ciudad santuario. Está situada en el extremo oeste de la India. Se considera la capital del reino de Krishna, por lo que su culto es un canto a la vida.

En honor a esta deidad también se levanta Puri, situada en Orissa. Su templo de Jagannath se ha convertido en punto de encuentro para los hindúes de todos los rincones de la India. En esta ciudad del este de la India también se venera a Balarama y Subhadra, las dos hermanas de Krishna.

Ramaswaran, al sur del subcontinente, combina el culto a Shiva y a Vishnú. Se cree que es el lugar donde Rama lanzó su ataque a Lanka e instaló el *lingam* de Shiva.

Además de las ciudades mencionadas, también son consideradas sagradas: Ayodhya (la capital de Rama), Kanchi, Kedarnath, Somnath, Amarnath, Pushkar y Kamakhya.

También se rinde culto a Shiva y a la muerte en la ciudad de Gaya. La urbe acoge los rituales de muerte de los antepasados. Se cree que los difuntos a los que se le rinde tributo en esta ciudad alcanzan la salvación.

Por último Ujjain tiene una gran importancia histórica dentro del hinduismo. En otros tiempos llegó a ser capital de la India y se cree que dos partes de la obra *Skanda-Puran* fueron escritas en este lugar. Como recuerdo de esa época dorada quedan en pie los dos famosos templos de Ganesha y Kal-Bhairav.

LOS RÍOS HINDÚES

Repasadas las causas genéricas que hacen que un lugar acceda al calificativo de sagrado para una religión, nos centraremos en el hinduismo.

Los ríos son sagrados dentro del hinduismo. Los hindúes se refieren a ellos en femenino, puesto que se les considera la madre de toda la naturaleza. No es de extrañar que esto sea así. Los primeros pobladores de la India habitaron en el valle flanqueado por el Ganges y por el Gamuna. Esto les permitió vivir en una zona extraordinariamente fértil en la que pudieron desarrollar su civilización. Más allá de esta área se encontraban con una naturaleza hostil y a menudo traicionera que no les permitía garantizar su supervivencia.

Los ríos son divinidades que tanto pueden premiar como castigar. El clima indio contempla sequías e inundaciones y ambas son igual de peligrosas para los habitantes de la región. Por ello, no es de extrañar que rogaran a estos ríos, como si de dioses se trataran, que fueran benéficos con ellos.

El río también ofrece varias simbologías que se asemejan a la concepción hindú del mundo. Son la representación perfecta de un ciclo vital circular. Nacen, crecen, siguen su camino y se unen con el océano. Esta andadura vital es semejante a la que tendrían que seguir los hindúes, puesto que su deseo último es hacerse uno con el ser supremo, del mismo modo en que los ríos pierden su identidad en el océano. Por otra parte, el río simboliza la purificación. Todas las religiones suelen unir el concepto de agua con el de renovación espiritual. Se cree que en muchos casos este paralelismo servía para que los fieles tuvieran costumbres más higiénicas.

Sea como fuera, se ha de separar el concepto hinduista de la purificación mediante el agua, del que tienen otras religiones. Habitualmente, en el cristianismo y en el judaísmo las abluciones tienen que ver con la limpieza de los pecados o con el renacer a la religión. Sin embargo, en el hinduismo el concepto tiene más que ver con sentirse uno con el universo y con congratularse de la creación de todas las cosas que hay en la Tierra.

> Buena parte de las celebraciones hindúes se llevan a cabo en ríos. Éste es un detalle importante, puesto que otras religiones que inicialmente llevaban a cabo este tipo de rituales los han cambiado. El agua en los templos, por ejemplo, es una buena alternativa. Sin embargo, las celebraciones en los ríos han permanecido inmutables dentro del hinduismo.

En el hinduismo también tienen especial importancia los accesos al río, porque sirven para poder alimentar al ganado y para que los seguidores puedan bañarse. Igualmente importantes son los lugares en los que los afluentes alcanzan el río principal y especialmente aquellas zonas en las que se une el caudal de dos ríos.

El Ganges

Cualquiera que apenas conozca nada sobre el hinduismo, no dudará en señalar el Ganges como uno de los principales lugares santos de esta religión. Célebres son las imágenes en las que se ve a una multitud de personas entrando en las aguas de este famoso río.

El Ganges o la madre Granga, como le llaman los hindúes nace en las montañas heladas del Himalaya. Recorre 2.700 kilómetros para llegar a su desmbocadura. El río recuerda a los hindúes su religión: es lento, milenario e imparable: Puede prodigar riquezas o desastres. Su fluir limpia y transporta, pero también puede destruir violentamente. A veces es cristalino y en otras ocasiones opaco. Es un río lleno de simbolismos que el fiel sabe interpretar.

No es de extrañar que el Ganges sea el río sagrado por excelencia dentro de este culto. Es la columna vertebral de la India. A través de él se podían poner en contacto las diferentes zonas. Por lo tanto, es el que crea el concepto de unidad que permite el nacimiento de la religión como un culto masivo. A la sazón, las zonas regadas por el Ganges son siempre las más fértiles. Es normal que los creyentes confíen en que tiene poderes mágicos, sobre todo en un país en que la fertilidad o la sequía puede marcar la diferencia entre la vida y la muerte.

Muchos son los rituales que se llevan a cabo en el Ganges. Todo dependerá de la época del año en la que nos encontremos y de la ciudad en la que nos situemos. Y es que casi todas las ciudades sagradas del hinduismo tienen en común que tienen un acceso privilegiado al río.

Desde los tiempos más ancestrales, el baño *(snana)* se considera entre los indios un acto de purificación *(sodhana)*. La limpieza corporal está siempre relacionada con la renovación espiritual. Los hindúes siempre han preferido los ríos, porque en estos el agua fluye. En estanques o incluso en el mar no se produce el mismo efecto, porque el agua puede estar más sucia, debido a que no circula. De todas las aguas que se pueden encontrar en la India, la más sagrada es la del Ganges.

Los bañistas entran en las aguas por las *ghats*, o escaleras sagradas. Según se dice son las que unen el cielo con la tierra. El fiel presenta su ofrenda al sol, que es el que le concede la energía vital. Preferiblemente este ritual se hace por la mañana. Luego se lavará concienzudamente todo el cuerpo. Después puede hacer la inmersión, para conseguir que la purificación sea total.

Sin embargo, las autoridades han tenido que intervenir en este culto. Los fieles acostumbran a sumergirse en el río. Algunos dejaban los cadáveres de sus familiares flotando. Esto provocaba que hubiera muchas epidemias que se transmitían de esta forma. Por ello, el gobierno

---

El Ganges es el río sagrado por excelencia. Sin embargo, hay dos que le van a la zaga: Yamuna y Sarawati. Cada uno aporta una virtud al creyente. El Ganges purifica los pecados. El Yamuna incita a la devoción, sirve para que el devoto pueda hacer introspección y crecer espiritualmente. Por último, el Sarawati fue un río muy venerado en la antigüedad, sobre todo cuando los pueblos arios vivían en el Punjab. Sin embargo, en los últimos años este río ha cambiado su curso y está desapareciendo debido a que el desierto de Rajastán le está comiendo terreno.

Estos son los tres principales ríos sagrados, pero existen otros: Godavari, Narmada, Sindhu (Indo) y el Kaveru (Cauvery), Saryu, Gomti, Gandaki, Sabarmati, Tamsa, Chandarbhaga, Shipra y Kratmala.

intenta regular estas celebraciones, respetando las costumbres, pero protegiendo a la población de infecciones no deseadas. Los hindúes más rígidos consideraban que no había posibilidad de contraer ninguna enfermedad en las aguas sagradas, pero la postura mayoritaria ahora apoya este tipo de restricciones.

Algunos lugares del Ganges son visitados en fechas concretas del año, cuando se celebran grandes festivales. Un buen ejemplo el *Prayaga*. Esta región es doblemente santa pues se unen dos ríos: el Ganges y el Yamuna, concretamente el *Allajabab*. Durante el mes de enero se llena de peregrinos que acuden al festival *Kumbha Mela*. Cada doce años se conmemora una ceremonia muy especial que puede reunir a millones de fieles.

LAS MONTAÑAS HINDÚES

Tan importantes como los ríos son las montañas, montes y cordilleras que dibujan el paisaje indio. Así como los ríos suelen ser puntos de reunión multitudinarios, las montañas, en cambio, sirven para el retiro espiritual. Algunos monasterios han sido construidos allí. También se encuentran templos. Pero lo más habitual es que haya santones o ermitaños que habitan en las condiciones mínimas que garantizan su supervivencia. De esta forma, renuncian a los bienes materiales y se acercan más a las divinidades a las que veneran.

> Algunos teóricos señalan que la mayoría de estas montañas tienen una vinculación con el universo. Apuntan a estrellas concretas o a planetas, por lo que se cree que tal vez en tiempos remotos hicieron las veces de observatorio astronómico.

Muchas de estas montañas coinciden también con monasterios budistas, por lo que en algunas ocasiones se ha confundido el culto de las dos religiones.

Últimamente se ha puesto de moda entre los simpatizantes occidentales del hinduismo realizar viajes a estos lugares sagrados. De hecho, han perdido parte de su mística, porque es habitual encontrarse a personas de todos los rincones del mundo practicando *trekking*.

El Himalaya, un lugar sagrado

Esta mítica cordillera, la más grande del mundo, es un lugar santo tanto para el hinduismo como para el budismo. Himalaya en sánscrito significa «morada de la nieve». *Hima* se puede traducir como nieve y *alaya* como casa o morada. Se trata de una imponente cadena montañosa relativamente joven que posee las cumbres más altas del mundo. El movimiento tectónico provoca que siga elevándose aún más.

La cordillera está formada por alineaciones paralelas en forma de arco que se extienden a lo largo de 3.000 kilómetros. La altura media de estas montañas es de 6.000 metros, pero hay puntos como el Nanda Devi y el Anapurna en el que se alcanzan los 8.000 metros.

Sus medidas, sin duda, son lo suficientemente espectaculares y dignas de alabanza por sí mismas, pero dentro del hinduismo adquieren un nuevo matiz. Para empezar, son el punto de unión con el Ganges, ya que nace en sus nevadas montañas. Por otra parte, durante siglos han hecho de frontera natural, protegiendo algunas zonas de la India.

> Algunos estudiosos consideran que los santones no alcanzan su estado de gracia o iluminación porque estén más cerca del cielo, sino porque se han apartado del mundanal ruido de la urbe. Por ello, algunos creen que no es imprescindible acudir a esta cordillera.

Los hindúes creen que los dioses habitan en el cielo, en el sentido más literal. Por ello, cuanto más elevado esté el fiel, más fácil le será acercarse a ellos.

Esto es lo que ha conducido a muchos hombres santos o yoguis a retirarse a las montañas del Himalaya. Allí, llevando a cabo una vida casi de ermitaños, creen posible acceder a un conocimiento superior. Los excursionistas que hacen *trekking* por esta cordillera a menudo encuentran a estos santones que han consagrado su vida a la religión.

Dentro del Himalaya destacan diferentes montes que han sido escenario de las andanzas de los dioses o que tienen un especial significado dentro de la religión. A continuación repasaremos brevemente los más importantes.

Monte Meru

Se encuentra en el Tíbet, a 6.714 metros de altura y es uno de los más mencionados en las escrituras sagradas hindúes. Para algunos de los que las han interpretado no se corresponde con el monte concreto. Se trata de un lugar mítico que es donde viven los dioses.

Muchas leyendas consideran que es uno de los elementos que existe antes, incluso, de que el universo se configurara tal y como lo conocemos. Se explica, por ejemplo, que un día los dioses decidieron batir el océano cósmico de la leche. Para ello arrancaron el Monte Meru y enroscaron a la serpiente cósmica *Ananta* alrededor. Así podían mezclar ese océano cósmico del cual salieron cosas maravillosas: la vaca de la abundancia, el árbol que todo lo concede, el elefante celestial, la diosa Lakshimi y también cosas menos bonitas, como el veneno, que representaba el sufrimiento de los hombres.

> No es sólo un lugar santo para el hinduismo. A él también acuden peregrinos budistas y jainistas. Los bon-po, una religión anterior al budismo con rasgos chamánicos que aún tiene un culto minoritario en el Tíbet, también lo consideran un lugar santo.

En general, se considera que este monte es el eje del universo. Sobre él se apoyaría el cielo de los dioses y se articularían todos los seres vivos e inanimados del universo.

Monte Kailash

Esta montaña es a la vez un dios y la morada de una divinidad. Casi todos los lugares sagrados son en la mitología más arcaica representaciones de dioses. En este caso, Kailash era una divinidad que tuvo que hacer de árbitro en una disputa entre Indra y Kartikeya. Sendos dioses que estaban siempre enfrentados y decidieron solventar sus discrepancias midiendo sus poderes. Para hacerlo, acordaron realizar una carrera. Quien ganara, sería superior al otro. A Kailish le tocó el desagradable papel de decidir quién era el ganador. Kartikeya llegó antes a la meta que Indra. Pero ése, al ver que Kailash proclamaba vencedor a su enemigo, ciego de ira arrojó un rayo que partió la montaña en dos. Así se creó el paso de Krauncha.

> La India está llena de montañas sagradas en las que se pueden encontrar santones o excursionistas que buscan algo de iluminación en sus vidas. Las más célebres, además de las ya mencionadas son: Parijat, Malyagiri, Mahendrachal, Chitrakoot, Goverdhan (Mathura), Kamagiri (Assam), Shaktiman (Madhya Pradesh) y Raiwatgiri (Gujarat).

En las escrituras post-védicas, Kailash ya aparece como una montaña que se convierte en la morada de Shiva. En muchas representaciones se ve a esta divinidad junto a su mujer Parvati encima del célebre monte. Sin embargo, también hay varias teorías al respecto. Algunos consideraban que el monte era la casa de estos dos dioses.

Otro, en cambio, creen que era el lugar donde Shiva se iba a vivir como un anacoreta cuando se cansaba de la vida matrimonial. Sea como sea, Kailash esta íntimamente relacionado con el culto a Shiva. Por ello, se construyó un templo en honor a este dios. En la actualidad, muchos seguidores del hinduismo practican la escalada en este monte, que también es muy apreciado por los budistas.

LAS ESCUELAS HINDUISTAS

Las escuelas medievales de la religión hindú dieron hasta tres respuestas distintas a una de las preguntas que más y mejor sirven para entender cualquier religión: ¿cuál es la relación del ser divino, del único, con el mundo? De hecho, las tres respuestas dadas a tan complicada e importante pregunta se remiten directamente a los sagrados Veda, no en vano las tres escuelas a las que dieron lugar son también conocidas como Vedanta.

Pero empecemos por el principio, por el origen de esta disparidad de criterios a la hora de dar respuesta a tan compleja pregunta: comencemos por los Veda. Los Veda son los cuatro libros sagrados escritos por Vy'assa, el mítico personaje que, según la tradición hindú, tomó apenas una pequeña porción del Veda Eterno, procedente de la fuente más divina de todas, y lo dividió en cuatro partes para que pudiera ser inteligible para el común de los mortales. Vy'assa dio forma así al *Rigveda*, el *Y'ayurveda*, el *Saamaveda* y el *Atjarvaveda*. Cada uno de estos libros sagrados se divide en tres partes: *Sammjitta* (una colección de himnos y mantras de origen divino), *Brajmanaani* (que ofrece algunas advertencias, preceptos e incluso tradiciones que deben mantenerse, y que en su parte final acostumbraba a incluir los *Aaran'y'aka*, libros que debían ser estudiados por los ascetas), y *Upanis'ad* (los tratados teológicos y filosóficos). Vamos a detenernos en estos últimos. Los *Upanis'ad* (literalmente «sentarse más bajo») son relatos o disquisiciones alrededor de temas filosóficos o teológicos. Evidentemente, las tres respuestas a la pregunta ¿cuál es la relación entre el ser divino y el mundo? fueron extraídas de ellos. Y aquí encontramos la raíz del problema, el porqué de la diversidad de criterios que apareció en la Edad Media. Ya en los mismos *Upanis'ad* se encuentran presentes consideraciones muy distintas sobre el *atman* y el *brahmán*. La más importante, y la fuente de las distintas interpretaciones y, por tanto, la madre de las tres escuelas, es la consideración de lo absoluto como inteligencia impersonal y a la vez como dios personal (*savidesha*). De las distintas interpretaciones de estas frases, tomando como base la autoridad de los Vedas, surgieron las tres grandes síntesis hindúes medievales. Las tres grandes escuelas que trataban de explicar la relación de dios con el mundo, la unión de lo absoluto con el dios personal.

> La palabra «Veda» significa literalmente «el conocimiento». Los sagrados Veda, también conocidos como *Vedanta-Sutra* o *Brahman-Sutra*, datan de un período que se sitúa entre el 400 a.C. y el 200 d.C.

EL MODELO DE SHANKARA: ADVAITA-VEDANTA

Se basa en la creencia de que «lo absoluto y el mundo son totalmente idénticos». Eso mantenían y mantienen contra viento y marea los conocidos como «filósofos unitarios», también llamados monistas. El máximo representante de esta importante corriente es el más celebre pensador del hinduismo, Shankara.

Shankara (788-820) nació en una familia *brahmán namboori* del pequeño pueblo de Kaladi, en la costa Malabar, el estado actual de Kerala, al sur del país. Desde su más

Diosa de la creación, esposa de Brahma. La divinidad rige la cultura, la belleza y todo lo que es armónico.

tierna juventud, el que sería uno de los más grandes pensadores religiosos indios, se impuso la labor de estudiar los sagrados Veda. Y lo hizo de la mano de uno de los más respetados filósofos de la época, Govinda, discípulo de Gaudapa, el primer pensador que estableció los principios de *advatia*. Shankara rechazó radicalmente el materialismo del mundo y escogió convertirse en un *sannyasin* (aquel que ha decidido renunciar completamente a los placeres de la vida mundana para buscar la verdad espiritual). A pesar de ello, el filósofo descartó la idea de recluirse, de aislarse del mundo. Shankara se dedicó a viajar por toda la India, incluidos los parajes más remotos, para visitar a los filósofos y líderes espirituales, incluso a aquellos que profesaban diferentes creencias. A lo largo de este periplo inacabable logró congregar a un nutrido grupo de discípulos y fundó numerosas comunidades religiosas. Shankara también ordenó construir templos en Sringeri, Puri Dwakara y, sobre todo, en Badarinathh, en el Himalaya. Después de toda una vida dedicada al estudio y a la divulgación de las doctrinas hindúes, y después de haber conseguido la restauración de la religión hindú frente al budismo y al jainismo, Shankara murió en Kedarnath, en lo alto de las montañas. Pero sus ideas y sus pensamientos religiosos se han conservado en sus escritos, comentarios sobre los *Upanisad*, el *Bhagavad-Gita* o el *Vedanta Sutra*.

Este gran pensador también escribió una serie de poemas religiosos con un importante trasfondo místico. Pero, volviendo al tema que nos ocupa, es el análisis intelectual de su posición metafísica lo que lo convierte en uno de los más importantes filósofos indios. Shankara se propuso recuperar, costase lo que costase, lo que para él constituía sin duda el mensaje central contenido en los *Upanisad*, y más concretamente en la declaración *tav tvam asi*. Esta parte de los *Upanisad* establece la relación entre el alma individual de cada practicante y el espíritu universal, el Dios Absoluto. En la interpretación de Shankara, aquella que daría lugar a la primera escuela, el Brahmán, el Ser Universal es la realidad única y verdadera y el alma individual, el *atman*, es idéntica a él. Es decir, en realidad, solo existe lo uno, el Brahmán, que es idéntico a tu *atman*, a tu alma. El mundo tangible, en el que nos movemos cada día, es sólo una realidad aparente, maya. Sin embargo, para comprender y descubrir esta realidad, este orden de cosas, se debe superar el nivel de la verdad común, de una visión ingenua repleta de cosas materiales y de yoes conscientes. La herramienta para superar este primer nivel y llegar al nivel de la verdad superior, la que proviene de la mística, es la meditación. Una vez alcanzado este nivel superior, se descubre que todos los yoes que se consideraban conscientes y únicos son en realidad idénticos al yo eterno, infinito y divino. Por lo tanto, la salvación o la unión perfecta con el ser superior no se puede conseguir simplemente con plegarias, rituales u obras morales. Es imprescindible aprender a utilizar la meditación, la vía para un conocimiento superior y místico que nos llevará a entender que todo es uno, que lo absoluto y el mundo son completamente idénticos.

> Para muchos y prestigiosos indólogos, el hinduismo tal y como lo conocemos, en su forma actual, comienza con los pensamientos, ideas, tesis y formas de ver el mundo que propugnaba el gran filósofo y pensador religioso Shankara. En el siglo IX d.C., el más célebre de los monistas restauró la religión hindú frente al jainismo y al budismo.

EL MODELO DE MHADVA: DVAITA-VEDANTA

Al contrario que los anteriores, los filósofos de la separación o dualistas mantenían y mantienen que «lo absoluto y el mundo están totalmente separados». El máximo representante de esta teoría es uno de los más agudos adversarios de Shankara, Madhva.

Madhvacharya nació alrededor del año 1238 d.C. en un pueblecito llamado Udupi, situado en el estado de Karnataka. Madhva pertenecía a una prestigiosa y muy rica familia de brahmanes y desde muy pequeño demostró a propios y extraños que no era un niño cualquiera. Cuentan que, siendo aún muy pequeño, mató a un terrible demonio serpiente llamado *Maniman* aplastándolo simplemente con el dedo gordo de su pie izquierdo. A los ocho años comenzó su iniciación espiritual, y con sólo doce decidió hacerse *sannyasa* y dedicarse en cuerpo y alma al estudio de los Libros Sagrados y a viajar por toda la India. Pero Madhva no era sólo un ratón de biblioteca con la nariz siempre metida entre legajos. Repartía su tiempo sabiamente entre los estudios y la práctica de deportes como la lucha, la natación e incluso el alpinismo. No es extraño que fuera un joven atractivo y musculoso que causaba admiración no sólo por su sabiduría sino también por su atractivo físico. Para acabarlo de redondear, se cuenta que contaba con un agudo ingenio y con una voz sonora y profunda que subyugaba a todo aquel que le escuchaba recitar plegarias y oraciones o que tenía la oportunidad de oírle cantar canciones espirituales.

Según todos los escritos que han llegado hasta nuestros días, la vida de Madhva es la historia de un líder natural nacido entre los hombres, de una especie de profeta al que se le reconoció en vida la potencia divina que albergaba su alma de hombre.

El que daría lugar a la segunda gran escuela del hinduismo, comenzó sus estudios bajo la sabia supervisión de Acyutapreksa. Más tarde, entró en la orden de Ekanti-Vaisnavas y recibió el nombre de *Purnaprajna*. Es precisamente en ese momento, mientras se sumerge en el estudio de los textos sagrados, cuando Madhhva comienza a sospechar de la debilidad inherente en la filosofía de los monistas, y empieza a desarrollar un deseo ardiente de reavivar la polémica aportando una interpretación propia y completa de los Veda. No es extraño que muy pronto se convirtiera en un alumno incómodo que a menudo sacaba de las casillas a su maestro. *Acyutaprajna* empezaba a ver claro que *Purnaprajna* estaba destinado a cambiar la historia de los hombres.

Madhvacharya pasó algunos años más enseñando y comprometiendo con sus arriesgadas teorías a los estudiosos que pertenecían al Budismo, como Jain y Advaita Sampradayas. Siempre acababa colocándolos entre la espada y la pared gracias a su habilidad retórica y a su conocimiento de la lógica y la filosofía. Cansado de estas demostraciones, Madhva decidió partir para propagar sus enseñanzas, esta vez, siguiendo el camino hacia el sur de la India. Visitó Kanyakumari, Ramesvaram o Srirangam, explicando sus propias interpretaciones de los Textos Sagrados, poniendo contra las cuerdas a cuantos quisieron rebatir sus ideas, y ganándose al fin la enemistad de los líderes de las viejas escuelas del pensamiento. Pasado un tiempo, dio por concluido su periplo por el sur del país y decidió visitar el norte.

Madhvacharya estaba ansioso por ir a Badarikasrama y recibir la inspiración personal de Vyasadeva. Después de permanecer durante cuarenta y ocho días en Badarinath, dedicándose a ayudar a los religiosos, a orar y a meditar, Madhva decidió que había llegado el momento de visitar la ermita de Vyasa. Completamente solo, emprendió el camino hacia ella y consiguió encontrarse con Vyasadeva. Madhva le sacó todo el jugo al deseado encuentro y aprendió todo lo que pudo en los meses que pasó en la ermita. De esos días, de esos encuentros, de esos debates, surgió la inspiración divina gracias a la cual Madhvacharya pudo escribir su *Bhasya* de los *Brahma-Sutras*.

Con la satisfacción de la tarea cumplida a cuestas, Madhva emprendió el camino de regreso hacia Udupi, pasando por Bengala, Orissa, Andhrapradesa, Maharashtra o Karnataka. En Badarikasrama, y sintiéndose plenamente preparado para ello, Madhvacharya retó a los más eminentes estudiosos, entre los que se encontraban pensadores tan reputados como Swa Sastrin o Sobhana Bhatta, conocidos como los eruditos de los seis sistemas de filosofía. Después de su estrepitosa derrota, ambos acabarían convertidos en fieles discípulos de Madhva, pasando a llamarse *Narahari Tirtha* y *Padmanabha Tirtha* respectivamente.

La fama de Madhvacharya crecía a pasos agigantados gracias a estas demostraciones que dejaban una profundísima huella en todos aquellos que participaban en ellas, ya fuera como oradores o como simples espectadores; y gracias sobre todo a sus comentarios sobre el Gita y el *Brahma-Sutra*.

Ya en Udupi, Madhva decidió poner un poco de orden e introdujo estrictos códigos de conducta a sus fieles seguidores. Entre otras cosas, exigió que durante yajnas se sustituyeran los sacrificios de animales por *pistapasuyagas* (ofrendas florales). Madhva también pedía la observancia rigurosa y estricta de los ayunos en *Ekadasi*. Finalmente, y para favorecer la unión entre sus discípulos, pidió que todos adoraran a un dios común: Krishna.

La bola seguía creciendo y la determinación aumentaba por momentos en el impetuoso corazón de Madhva. Por si aún quedaba algún resquicio de duda en su férrea determinación de darle la vuelta a la escuela tradicionalmente aceptada, Madhva tuvo una visión que acabó de darle la clave que necesitaba.

Estando de viaje con uno de sus discípulos más fieles y queridos, Madhva llegó a Sri Navadwipa y decidió pasar algunos días en los tranquilos y cercanos bosques de Modradumadvipa. Mientras dormitaba plácidamente a la sombra de uno de los grandes y acogedores árboles que le daban forma, Madva recibió la visita del dios Gauranga que le habló así: «Es sabido por todos los hombres de buen corazón que tú eres mi servidor eterno. Viaja por todas partes y cuidadosamente corta de raíz todas las falsas escrituras de los mayavadis, y explica las glorias de rendir culto a la forma más personal de la Suprema Personalidad del Dios Krishna. Después, cuando yo vuelva, transmitiré tus enseñanzas personalmente». Dicho esto, el dios desapareció.

Cuando Madhva despertó, sorprendido y aún desconcertado, rompió a llorar desconsoladamente mientras gritaba mirando al cielo: «¿Cuándo yo podré disfrutar de nuevo de la visión de esa bella forma dorada?». Una voz celestial le trajo la respuesta que tanto anhelaba: «Ríndeme culto y vendrás a mí». Con estas instrucciones inscritas a fuego en su corazón, Madhva continuó sus viajes rebosante de determinación. Tenía una misión divina: derrotar a los filósofos monistas.

Con renovadas fuerzas, Madhva se puso manos a la obra consiguiendo gestas como derrotar a la autoridad principal de Avaita-vedanta. El rey de Jayasimh, Gobernante Máximo de Kumbla, consiguió enfrentar a Madhvacharya y a Trivikrama Pandit. Durante quince días mantuvieron un encendido y vigoroso enfrentamiento con el templo de Kudil como inmejorable marco. El debate acabo con una aplastante victoria de Madhva. Trivikrama le pidió entonces convertirse en su discípulo, petición que Madhva aceptó rápidamente y con agrado. Con el correr del tiempo, Trivikrama Pandit acabaría convertido en su mano derecha y en una inestimable ayuda en su misión.

Después de dar forma y completar muchos escritos, y después de enviar por todo el país a sus discípulos para propagar y predicar su nueva forma de entender la relación con el Ser Supremo, Madhvacharya desapareció durante una lluvia de flores. Pero su mensaje persistiría durante los siglos siguientes en forma de un movimiento religioso, los madhvas, que ha perdurado hasta hoy.

> En la actualidad, los numerosos seguidores de Madhva, que reciben el nombre de los madhvas, están gobernados por 23 organizaciones religiosas llamadas *mathas*. Las *mathas* son comunidades formadas por un asceta de edad avanzada, el *svami*, y sus estudiantes y seguidores.

Forzando la interpretación de los *Upanisad*, Madhva le gritó a los monistas, y a todo aquel que quiso escucharle, que no podían declarar irreal el mundo en el que vivimos. Precisamente porque es imperfecto, malo e insuficiente, razonaba Madhva, el Ser Supremo no puede haberse transformado en él. Al contrario, Dios crea, conserva, cuida y destruye todo lo que nos rodea. Así que existe una diferencia real y evidente entre Dios y el mundo, entre el Ser Supremo y el Alma. Por lo tanto, Madhva escogió defender sin fisuras un dualismo radical, una dualidad (*dvaita*) que se enfrentaba a la *advaita*, la no dualidad propugnada por Shankara.

MODELO DE RAMANUJA: VISHISHTA-A-DVAITA

Dentro del grupo formado por los monistas, no todos defienden a ultranza que «lo absoluto y el mundo son total y completamente idénticos», existe un grupo, al que dan forma monistas menos radicales, que está absolutamente convencido de que «lo absoluto es idéntico al dios personal». Ésta es la mayor aportación de un antiguo discípulo de Shankara, el pensador que tal vez haya ejercido una mayor influencia en las ideas y en espiritualidad hindú: Ramanuja.

Según cuenta la milenaria tradición Vaisnva Sri, Ramanuja nació en el quinto día de luna llena del mes de *caitra*, alrededor del año 1017. El pequeño vino al mundo en el seno de una importantísima familia, perteneciente a la casta de los *brahmanes smarta* Vadama, eruditos védicos formales. El padre del que sería uno de los más reputados pensadores indios, Kesavacarya, mostraba una peligrosa predilección por la ejecución de toda clase de sacrificios védicos o *vajñas*, llegando a ser muy famoso y conocido como *Sarvakratu* (o ejecutor de sacrificios en honor de los dioses).

En cuanto el pequeño Ramanuja tuvo uso de razón, su padre lo sumergió de lleno en el aprendizaje, siguiendo al pie de la letra la tradición educativa sánscrita. Ramanuja estudió gramática, lógica y los sagrados textos vedas, pero nunca se le enseñaron los himnos devocionales en tamil, dedicados a glorificar a Vishnú.

Se cuenta que muy pronto el pequeño Ramanuja comenzó a dar a propios y extraños muestras fehacientes de su naturaleza santa. Con el correr de los años, y pasados todos los ritos sagrados a los que debe someterse un hindú verdaderamente piadoso, se organizó su boda. Ramanuja era apenas un adolescente: tenía dieciséis años recién cumplidos.

Apenas un mes después de la ceremonia, su padre enfermó gravemente y murió a los pocos días, sin que nadie pudiera hacer nada para evitar su prematura muerte. Ramanuja, acompañado por el resto de su extensa familia, se desplazó a Kkancipuram, donde entró en la academia de Yadava Prakas, un reputado vedantista de la escuela Sankarita. Según algunos cronistas de la época, la decisión de Ramanuja de completar su formación en una escuela no vaisnava, junto con los indicios que ya comentábamos anteriormente, eran la prueba fehaciente de que su familia no era especialmente devota del dios Vishnú. Más bien al contrario, la familia de Ramanuja estaba formada por simples brahmanes por casta, hombres interesados en conseguir a cualquier precio que la joya de la familia acabara convertida en uno de los mayores eruditos de todos los tiempos. También algunos otros cronistas se muestran convencidos de que esta elección fue simplemente una estrategia de Ramanuja para empaparse de los argumentos y secretos de Sankaracarya antes de refutarlos uno tras otro utilizando sus propias armas. Sea como fuere, lo único cierto es que el joven Ramanuja muy pronto empezó a sobresalir de entre todos los demás estudiantes del sabio Yadava Prakas, y acabó convirtiéndose, con el paso de los meses, en el alumno preferido del maestro.

Yadava predicaba fervientemente la teoría del no-dualismo, poniendo un especial énfasis en la ilusión, en el maya, de todas las formas, incluyendo la de Vishnú. Pero la devoción de Ramanuja por Vishnú se abría paso a paso y una enorme contradicción iba floreciendo en su cerebro. Se sentía disgustado por estas teorías de su maestro, al que adoraba, pero por respeto a él siempre evitaba contradecirlo, y mucho menos en público, para evitarle el conflicto y la vergüenza de verse recriminado por uno de sus alumnos.

Y así fueron pasando los días hasta que llegó un momento en el que el joven, y cada vez más rebelde, Ramanuja no pudo tolerar por más tiempo el impersonalismo que con tanta devoción propugnaba Yadava. Una cálida mañana de primavera, mientras Ramanuja se encontraba masajeando la espalda de su gurú, éste comenzó a explicarle el sentido de un verso de *Candogya Upanisad*. El verso en cuestión contenía las palabras *kapyasam pundarikam evam akshini*. Siguiendo al pie de la letra la interpretación de Shankara, Yadava le explicó que *kapy* significaba mico y *asanam* significaba cola. El verso, así interpretado bajo la luz de las teorías de Shankara, venía a decir que «los ojos de loto de Vishnú son tan rojos como la cola del mico».

Ramanuja, que seguía trabajando sin descanso en la espalda de su maestro, no pudo evitar enfurecerse por esta gran blasfemia y ardientes lágrimas brotaron de sus ojos por la angustia, yendo a caer sobre la espalda de su gurú. En ese momento Yadava comprendió que algo andaba mal. Se giró y le preguntó a su discípulo cuál era la pena que tanto lo afligía. Cuando Ramanuja, conteniendo a duras penas su indignación, le explicó, aún con lágrimas en los ojos que *kapyasam* significa «el que se sienta sobre el agua y florece por beber», es decir un loto, por lo que el significado del verso era «los ojos de Vishnú son tan bellos como los lotos rojos que florecen en el agua», Yadava fue plenamente consciente de la pericia de su discípulo y comprendió que tenía delante a un poderosísimo rival que podía poner en peligro todas las ideas en las que él creía y a las que había dedicado su vida.

Desde ese día, Yadava comenzó a planear el asesinato de Ramanuja. Su primer y maquiavélico movimiento fue conspirar con el resto de sus discípulos para convencer a Ramanuja de la necesidad imperiosa de peregrinar al Ganges. Una vez allí, lo matarían entre todos en un lugar apartado y solitario, y después se bañarían en el Río Sagrado para expiar tan horrendo pecado. Afortunadamente, unos días antes de la marcha de la macabra expedición, uno de los primos mayores de Ramanuja descubrió el siniestro plan y previno a Ramanuja, que logro escapar ileso. A pesar de descubrir los planes de Yadava, Ramanuja regresó a Kancipuram y siguió asistiendo a sus conferencias y escuchándole atentamente. Pero en su interior algo había cambiado para siempre, había perdido la fe en el que hasta ese momento era su adorado maestro y su mente, discretamente, navegaba por otros senderos.

Por esa época el poderoso rey de Kancipuram pasaba por uno de sus peores momentos. Un fantasma, un temible *brahmán raksasa*, había poseído a la preferida de todas sus hijas, a la flor de loto que daba sentido a su existencia. Desesperado, y aconsejado por un grupo de cortesanos, el monarca mandó buscar a Yadava Prakas. El gurú fue llamado en calidad de reconocido exorcista y llegó al palacio del rey de Kancipuram acompañado por una numerosa corte de discípulos. Inmediatamente, fue llevado ante la hija del monarca para que la liberara rápidamente de la influencia del dañino fantasma. Hablando por la boca de la bella niña el *brahmán raksasa* insultó públicamente a Yadava, lo ridiculizó y se rió de él. Desviando la mirada, y ningunenado al maestro, la niña fue siguiendo lentamente con la mirada la larga fila formada por los discípulos detrás de su gurú. Al llegar a Ramanuja se detuvo y, mientras todas las personas presentes en la sala contenían la respiración, abrió la boca y dijo: «Si Ramanuja me bendice con el polvo de sus pies de loto, dejaré a esta niña». Así lo hizo, ante la desaprobadora mirada de Yadava. Inmediatamente, el fantasma abandonó el cuerpo de la niña que quedó instantáneamente curada. El poderoso y de nuevo feliz rey de Kancipuram se sintió profundamente endeudado con Ramanuja, que le había devuelto lo que más amaba en el mundo.

Tras esta humillación pública, no pasó demasiado tiempo antes de que Yadava Prakas le exigiera a Ramanuja que abandonase rápidamente su escuela. Pero el gran enfrentamiento entre ambos se produjo un día en el que el despreciado gurú discutía sobre el significado de dos textos de los *Upanisad* «saravam khalv idam brahmán», «todo es brahmán», (*Candogya Upanisad 3.1*) y «necha nanasti kinchana», «no hay distinción» (*Katha Upanisad 4.11*). Yadava discutía sobre estos versos animadamente, mientras explicaba con detalle la teoría promovida por Shankara. Ramanuja le escuchaba atentamente, sin pestañear. Una vez hubo acabado el maestro su exposición, Ramanuja hizo algo que no había hecho hasta ese momento: dio su propia interpretación de los versos sagrados.

El joven explicó que *saravam khalv idam brahmán* significaría «todo el universo es brahmán», de no ser por la palabra *tajjman* en la siguiente parte del verso que califica al significado. Ramanuja sostuvo, ante su espantado maestro, que por lo tanto no significaba que todo el universo era brahmán, sino que es penetrado por Brahmán. Por lo tanto, de Brahmán viene el universo, por el Brahmán es sostenido y, finalmente, entra en el Brahmán, igual que como un pez nace en el agua, vive en el agua, y, por último, acaba disolviéndose en el mismo agua que lo vio nacer. Sin embargo, y a pesar de ello, un pez no es agua, sino un ser autónomo y perfectamente separado de ella. De la misma forma, el universo, aunque existente dentro del Brahmán es diferente de él. Así como un pez nunca puede ser agua, así el universo nunca puede ser Brahmán.

En cuanto al segundo verso comentado por Yadava, «necha nanasti kinchana», Ramanuja sostuvo, ante la cara cada vez más estupefacta de su maestro, que no significaba realmente «no hay distinción», sino más bien que las cosas no son realmente diferentes por como está interrelacionadas, como perlas distintas ensartadas en un mismo hilo. Ya que todo está conectado, de cierta manera puede decirse que no han de hacerse distinciones entre las cosas. Todas están íntimamente relacionadas con el Todopoderoso Brahmán. Aunque podamos ver cierta unidad en la unión de todas las cosas, todo en el universo tiene su propia realidad, autónoma del resto. Las perlas ensartadas en el hilo que da forma a un collar, forman un todo orgánico, el collar, pero cada una de ellas individualmente, tiene sus propias cualidades, únicas e irrepetibles. Lo mismo que pasa con el espíritu, la materia y el propio Dios: forman un todo orgánico, pero cada uno de ellos mantiene sus cualidades únicas intactas. Por lo tanto, argumento Ramanuja ante su atónito maestro, el principio de la unidad absoluta mantenido firmemente por Sankaracarya no puede mantenerse por más tiempo, debería comenzar a hablarse de un principio de la unidad caracterizado por las diferentes cualidades que le dan forma.

Evidentemente, después de este incendiario y revolucionario discurso, y ante la indignación creciente de Yadava Prakas, Ramanuja tuvo que abandonar apresuradamente su escuela. Aconsejado por su madre decidió refugiarse en el hogar de Kancipurna, un sabio vaisnava que no era brahmán y cuya devoción sin mácula era reverenciada por el joven Ramanuja.

Una vez allí, y aconsejado por el propio Kancipurna, Ramanuja comenzó a servir la Deidad de Vishnú en el templo de Varada. El joven le llevaba agua todos los días al templo, lloviera a cántaros o quemara el sol ardiente los polvorientos caminos. Gracias a estas muestras de devoción, Ramanuja fue aceptado rápidamente como discípulo de Kancipurna. Una conexión que en principio parecía imposible, o al menos muy complicada, por pertenecer Kancipurna a la casta *sudra* por nacimiento y Ramanuja a la casta *brahmán*. Pero este hecho nunca fue un impedimento para la creciente admiración que Ramanuja empezaba a sentir hacia su nuevo gurú. La que sí comenzó a poner problemas desde el primer encuentro entre ambos fue la mujer de Ramanuja que no podía entender ni consentir que su marido aceptara a un simple *sudra* como gurú. La airada esposa hizo todo lo posible para desanimar a Ramanuja y para permanecer junto a él.

Por esa época, Yamunacarya se encontraba ya muy viejo y enfermo. Arruinado casi completamente a causa de su enfermedad, y con un pie en el otro mundo, llegó a sus ancianos y cansados oídos que el joven Ramanuja había abandonado precipitadamente la escuela de Yadava para servir humildemente a el *sudra* Kancipurna, uno de los más famosos devotos del poderoso dios Vishnú. Alarmado, envió a algunos de sus discípulos más fieles para traer a su presencia a Ramanuja. Cuando estas informaciones llegaron a los oídos de Ramanuja, éste no dudo en partir de inmediato y dirigirse hacia Sri Rangam, la sede de los vaisnavas en la que Yamuncarya languidecía esperando la llegada de su último suspiro. A pesar de lo apresurado de su viaje, cuando llegó ya era demasiado tarde, el maestro había dejado este mundo y posiblemente se encontraría ya en *Vaikhunta*, prestándole sus valiosos servicios al eterno Sri Vishnú.

Mirando detenidamente el cadáver del maestro, con una agridulce mezcla de tristeza incontenible y reparador sosiego, Ramanuja observó que tres de los dedos de la mano derecha de Yamuncarya estaban cerrados. Rápidamente preguntó a sus discípulos más cercanos si el maestro acostumbraba a tener su mano en esa posición. Curiosos, los discípulos se acercaron al cadáver de su maestro, lo observaron atentamente y respondieron que jamás le habían visto colocar la mano de tan inusitada manera. En ese momento, mirando fijamente la cara de su maestro, Ramanuja entendió que ese gesto desacostumbrado, con los tres dedos doblados sobre la palma, representaba los tres deseos pendientes de Yamuncarya. Entonces se prometió a sí mismo realizar esos tres deseos por la memoria de su maestro.

Ramanuja prometió enseñar a la gente que debían rendirle culto y devoción eterna a Vishnú, enseñándoles a entrenarse en los cinco *samskaras* o procesos purificadores. Tan pronto lo había acabado de anotar mentalmente, uno de los dedos de Yamuncarya se relajó. Complacido, Ramanuja prometió entonces comentar con fervor los himnos de los *alwars*. El segundo dedo se estiró suavemente. Finalmente, Ramanuja prometió ante el cadáver de su maestro escribir un comentario académico sobre los Sagrados Vedanta sutras, exponiendo sin trabas de ningún tipo los principios del vaisnavismo como la verdad única y final de los Vedas. Con esta última promesa el tercer dedo doblado de Yamuncarya se relajó y una expresión de profunda relajación espiritual inundó el rostro muerto del maestro. Yamuncarya podía por fin irse en paz. Su misión estaba en las mejores manos posibles.

Después de tan decisiva experiencia ya nada podría volver a ser lo mismo en la vida de Ramanuja. Tras su regreso, perdió gradualmente el interés por la vida familiar. Su bella esposa fue apartada de su lado. Abandonó su hogar y se dedicó en cuerpo y alma a servir a su gurú, Kancipurna, con quien pasaba la mayor parte de su tiempo. Ante esta situación, la esposa de Ramanuja se sintió doblemente herida. Primero, por el abandono de su esposo, que la había alejado progresivamente de su vida. Segundo, porque la ignoraba y descuidaba por servir a un simple *sundra*.

Un soleado día de primavera, Ramanuja invitó a cenar a su maestro Kancipurna, para así quedar bendecido. La humildad sundra de Kancipurna hizo que llegará muy temprano, antes de que el propio Ramanuja hubiera regresado a su humilde hogar. Visto que su discípulo se retrasaba, el gurú le explico a su aparentemente amable mujer, Kambalaksa, que debía partir pronto, puesto que tenía servicios que cumplir en el templo y no podía demorarse más. Kambalaksa se hizo cargo de su problema y le dio de comer rápidamente, despidiéndole después amablemente. Cuando Kancipurna se hubo alejado en el polvoriento camino en dirección al templo situado en una de las colinas cercanas, Kambalaksa tomó una vara y con ella, delicadamente, recogió la hoja de banano en la que Kancikpurna había comido, para evitar mancharse las manos con un objeto tocado por quien ella consideraba un intocable. Hecho esto, y aún no satisfecha del todo, ordenó a su sirvienta que limpiara el cuarto minuciosamente. Después de dejar a la muchacha manos a la obra, tomó un largo baño para purificarse. Pasado un rato Ramanuja llegó a casa y encontró a su mujer bañándose. Cuando ella le hubo explicado la razón de su baño, Ramanuja se enfureció por el insulto que había recibido su apreciado gurú.

Los problemas de Kambalaksa con Kancipurna no acabaron aquí. Algunos días más tarde, la esposa de Ramanuja se encontraba sacando agua del pozo común del pueblo. En ese momento, la mujer de Kancipurna se disponía a hacer lo mismo. Accidentalmente, los cántaros de ambas mujeres chocaron y el agua de ambos se mezcló accidentalmente. Presa de una ira terrible, y convencida de que el agua de su cántaro acababa de ser contaminada por el agua de una paria, Kambalaksa maldijo a la esposa de Kancipurna. Cuando tan terrible escena llegó a los oídos del conciliado Ramanuja, éste no pudo evitar volver a ponerse frenético. Tras una agria disputa y un inacabable intercambio de reproches, envió a su esposa a casa de sus padres y se dirigió al cercano templo de Varadraja, a visitar la Deidad de Vishnú que tanto había servido a lo largo de años pasados. Armado con la pertinente ropa color azafrán y con toda la parafernalia necesaria para convertirse en un auténtico renunciante, Ramanuja aceptó la tridanda de *sannyasi vaisnava*, que simbolizaba y simboliza la completa rendición de cuerpo, mente y palabras al Supremo Vishnú. Desde ese momento, Ramanuja fue conocido como *Yatiraja*, «el rey absoluto de la orden de los renunciantes».

Poco después, Ramanuja estableció su propio *asram*, su propio monasterio, en el que comenzó a divulgar entre sus discípulos su interpretación sistemática vaisnava del Vedanta, que incluía el seguimiento fiel y sin fisuras del sendero de devoción al Poderoso Vishnú. El *asram* de Ramanuja estaba ubicado muy cerca del majestuoso templo de Kanci. El primer discípulo que acudió presto a seguir sus enseñanzas fue su sobrino Mudali Andan, también conocido como *Dasarathi*, el hijo mayor de su hermana. El segundo en rendirse a sus enseñanzas fue un erudito y pudiente brahmán, Kurattalvan, también conocido como *Kuresa*, famoso en toda la zona por su prodigiosa memoria.

Estando un soleado día departiendo agradablemente con sus discípulos, la madre de Yadava Prakas observó complacida a Ramanujacarya. Ella misma era una gran devota del Generoso Vishnú, y su corazón llevaba años lleno de infelicidad porque su hijo se había dedicado al culto del monismo impersonal de Sankaracarya. De vuelta a su casa, y aún impactada por los sabios comentarios de Ramanuja, animó vivamente a su hijo para que fuera simplemente a visitar a Ramanuja. Reticente y algo molesto por la insistencia de su madre Yadava se metió en la cama. Esa noche tuvo un vívido sueño en el que una voz divina y maravillosa le urgía a convertirse en discípulo de Ramanujacarya. Al día siguiente, apenas el sol despuntaba tras las altas montañas, se dirigió presto a visitarlo. Sorprendido por su vestimenta vaisnava le preguntó directamente: «¿por qué rechazaste la escuela de Sankaracarya? ¿Por qué te vistes como un vaisnava? ¿En qué parte de las escrituras dice que este comportamiento está autorizado? ¿Puedes mostrarme alguna prueba escrita?». Tranquilamente, Ramanuja instruyó a su discípulo favorito, Kuresa, para que iluminará a Yadava utilizando las pruebas escritas que respaldaban el uso del vestido vaisnava. Kuresa dijo: «*Sruti* es la mejor prueba. Por lo tanto, te mencionaré algunas referencias del *Sruti*».

sa te visnorabja cakre pavitre
janmambodhiim tartave carnaninra
mule bahvordadhate nye purana
linganyamge tavakanyarpayanti

«Para liberarse del océano de repetidos nacimientos y muertes, los mejores hombres decoran sus cuerpos con los símbolos del loto y el chacra de Vishnú».

aibhirbayamurukramasya cihnai rahnkita loke
subhaga bhavamah tad visno paramam
padam ye dhigacchanti lacchata

«Así como los que van a la santa morada de Vishnú están decorados con la caracola, el loto, el disco, y la maza, así debemos portar esas señales y lograr esa morada divina».

*upavit adi baddharyah sanka cakradayas tatha
brahmanasya visesena vaisnavasya visesatah*

«Los brahmanes no sólo deben usar el cordón sagrado, también deben decorar sus cuerpos con la caracola, el loto, el chacra, y la maza de Vishnú, identificándose como vaisnavas».

*hare padakritim atmano hitaya madhye
cchidram urdhva purnidram yo dharayati
sa parasya priyo bhavati sa punyavan
bhavati sa muktimam bhavati.*

«Quien se decora con las marcas de tilaka que parecen los pies de loto de Vishnú con un espacio en el medio, se vuelve querido para el Paramatma, se vuelve piadoso, y logra la liberación».

Tras escuchar las sabias palabras de Kuresa exponiendo tan irrefutables pruebas escritas sobre lo correcto de la vestimenta vaisnava, Yadava Prakas volvió a dirigirse al discípulo favorito de Ramanuja y le preguntó desafiante: «¿Por qué dices que Brahmán tiene cualidades? Esta opinión, *visishtadvaita-vada* no cuenta con el respaldo de Sankaracaya... ¿Dónde están las pruebas escritas que respaldan tu posición?». Con toda la tranquilidad del que se sabe en posesión de la única verdad válida, Kuresa volvió a contestar basándose en el *Sruti*:

*na tasya karyam karanams ca vidyate
na tat samas cabhyadhikas ca drisyate
parasya sahktir vividhaive shruyate
svabhaviki jñana bala kriya ca*

«Él no posee forma corporal como la de una entidad viviente ordinaria. Él tiene forma trascendental de felicidad y conocimiento, no hay diferencia entre Su cuerpo y Su alma. Todos Sus sentidos son trascendentalmente divinos. Él es sustancia absoluta. Cualquiera de Sus sentidos puede ejecutar la acción de cualquier otro sentido. Nada es mayor o igual a Él. Sus potencias son múltiples, Sus actos son ejecutados automáticamente como consecuencia natural de Su deseo divino. Es decir, todo lo que Él desea, de inmediato se vuelve realidad. Sus energías divinas son triples: Su conocimiento (jñana sakti o cit sakti o samvit sakti), Su energía de fuerza (bala sakti, sat, o sandhini sakti) o Su energía de existencia, y Su energía de pasatiempo (kriya sakti) o Su energía de éxtasis, ananda o hladini sakti.

narayanah param brahmán tattvam
narayanah parah.

«Narayana es la Verdad Absoluta Suprema, Brahmán. Él es la realidad final».

harih parayanam param harih parayanam param
punah punarvadamyaham harih parayanam param

«La Suprema Personalidad de Dios es Sri Hari. Sólo Él es el refugio final, el refugio supremo, el sitio de descanso final. Una y otra vez proclamo este hecho: "Sri Hari es la Suprema Personalidad de Dios"».

De esta forma, Kuresa prosiguió citándole evidencias escritas que podían tomarse como base para establecer los principios del vaisnavismo. En ese momento Yadava Prakas ya se encontraba más que visiblemente sorprendido por la exquisita erudición mostrada por el discípulo favorito de Ramanuja. Recordando el persistente consejo de su anciana madre, y la voz divina que le conminaba en sueños a rendirse a las virtudes de Ramanuja, y recordando una tras otra las horribles acciones que había perpetrado contra aquel hombre que ahora le parecía tan santo, Yadava Prakas cayó a los pies de Ramanuja, le rogó perdón eterno y le suplicó sus bendiciones. Ramanuja le aceptó como su nuevo discípulo y le otorgó el nombre de *Govinda Jiyar*.

Con el tiempo, Yadava acabaría convirtiéndose en uno de los más famosos discípulos de Ramanuja, abandonando completamente la causa monista e impersonal de Sankaracarya y rindiéndose al vaisnavismo. Con el correr de los años, después de completar su transformación de orgulloso maestro a humilde y devoto siervo, Ramanuja le ordenó escribir un texto que indicara la correcta conducta religiosa que debían seguir los *sannyasis vaisnava*. El libro, que se titula *Yati dharma sammuchaya*, todavía es seguido fielmente por los *sannyasis* de la Sri sampradaya.

Tras recibir el permiso de su amada Deidad, Sri Varada, Ramanuja decidió dejar Kancipuram para dirigirse a Rangam. Una vez allí, se sumergió en el estudio de las Sagradas Escrituras bajo la guía y supervisión del discípulo más prominente de su amado maestro Yamunacarya. Con su valiosa ayuda, Ramanuja se introdujo en los secretos de muchísimas e importantísimas escrituras como el *Nyasotattva*, el *Gitartha Sangraha*, el *Siddhitraya*, el *Brahma-sutra* o los *Pancaratras*.

Una vez dominados todos estos textos, y aconsejado por su fiel Mahapurna, Ramanuja decidió que había llegado el momento de visitar al Gran Gostipurna para pedirle que le iniciara en el conocimiento del secreto *mantra vaisnava*. Pero no lo iba a tener fácil. Ramanuja fue

La diosa benefactora y protectora de la riqueza y la prosperidad. Simboliza a la esposa perfecta.

rechazado en primera estancia por el sabio, absolutamente reacio a desvelar el secreto del confidencial mantra a un recién llegado. Inmune al desaliento, Ramanuja lo intento hasta dieciocho veces, utilizando su proverbial sentido de la humildad. Finalmente, conmovido, y después de hacerle jurar absoluto secreto, el Gran Gostipurna le susurró el mantra en el oído, no sin antes advertirle que era el mantra más poderoso y que quien lo cantara lograría la liberación absoluta, regresando a los planetas espirituales, al *Vaikuntha*, en donde se dedicaría a servir personalmente al Todopoderoso.

Nada más salir del templo, y tomando el camino hacia Sri Rangam, una multitud alborozada rodeó a Ramanuja. Habían escuchado que él había recibido el secretísimo mantra de Gostipurna, y todos querían conocerlo. Enternecido por el fervor de quienes le rodeaban Ramanuja los miró y les dijo cantad esto: «Om namo narayanaya». La felicidad y las bendiciones inundaron a todos aquellos que siguieron el consejo de Ramanuja. Al conocer la noticia Gostipurna, preso de la indignación, le reclamo una respuesta satisfactoria: «Te pedí que mantuvieras el mantra en secreto. ¿Por qué lo revelaste a las masas? ¿Sabes la pena para un comportamiento como el tuyo?». Ramanuja contestó: «Sí, maestro, puedo ir al infierno por lo que he hecho». «Entonces», respondió Gostipurna: «¿Por qué has revelado el sagrado secreto?». «Mi querido maestro», respondió tranquilamente Ramanuja, «comprendí que el poder del mantra que compartiste conmigo podría liberar a quien lo escuchara. Cuando observé el ardiente deseo de esa gente de las calles por ser salvados de su triste vida material, no pude contenerme. Sentí crecer dentro de mí una inspiración divina que me obligaba a repartir misericordia entre todos ellos. Si este es un pecado enorme, deberé ser castigado. Condéname al infierno si crees que mi pecado lo justifica. Pero por favor, no muestres tu ira con esta gente tan sencilla que suplicó conocer el secreto mantra».

Mirándole fijamente a los ojos, Gostipurna vio la enorme sinceridad de su discípulo y su corazón quedó absolutamente conmovido. Después de todo, pensó, qué mayor alegría puede haber que la distribución de la misericordia del Supremo. Ramanuja había entendido el verdadero sentido, el espíritu del mantra. Sería un gran predicador que infundiría devoción en el corazón de los fieles. ¿Cómo podía él pensar siquiera en atreverse a condenarlo? Cayó a sus pies y le rogó: «Perdóname, mi niño. Tú eres ahora mi maestro y yo tu más servil discípulo. ¿Quién soy yo para ser tu gurú? ¿Cómo podía yo conocer tu grandeza? Por favor, acéptame como tu discípulo».

Tras este episodio, la reputación de Ramanuja creció enormemente y comenzó a ser considerado la encarnación de Laksman. Algún tiempo después, el rey de Kola, seguidor acérrimo de Shiva, envió una petición a los más famosos eruditos del sur de la India para que declararan a Shiva el Ser Supremo. Muchos firmaron encantados, pero Ramanuja se negó rotundamente. Cuando se enteró el rey ordenó secuestrar a Ramanuja. En el último momento, y con la ayuda de Kuresa, que cambió sus ropajes por los suyos, Ramanuja logró escapar. Pero su fiel discípulo fue apresado en su lugar. El rey, cuya hija Ramanuja había librado de la posesión de un terrible fantasma, ordenó a sus sirvientes que no mataran al prisionero, pidiéndoles que simplemente le sacaran los ojos por negarse a ver con ellos la superioridad de Shiva. Nada más ser liberado, Kuresa recuperó milagrosamente la vista. El rey no tuvo tanta suerte. Desarrolló un horrible bulto negro en el cuello que finalmente acabó con su vida entre horribles dolores.

Ramanuja continuó instruyendo con dedicación plena a nuevos discípulos a través de su ejemplo vivo. Un ejemplo que ha llegado hasta nuestros días gracias a una idea tan sencilla como atractiva para los fieles, la entrega a un dios único ya sea Vishnú, Shiva o cualquier diosa.

Cumplida su misión, y cuando contaba cien años de edad, Ramanujacarya murió el décimo día de la luna menguante en el mes de *phalguna*.

GLOSARIO DE TERMINOLOGÍA BÁSICA

A-Sahaja. Término que se utiliza para designar a todo aquello que se sale de lo común, lo anormal.

Aartha. Se aplica a aquellos creyentes que, atormentados por su descontento espiritual o por su falta de perfección, rezan a los dioses intensamente.

Abhisheka. Es el nombre técnico que recibe la iniciación a las prácticas tántricas.

Adhara. La base, la sustancia.

Adheya. El contenido.

Advaita. Momento en el que la consciencia puede trascender la dualidad, consiguiendo que el hombre pueda finalmente fundirse íntimamente con Dios.

Agama. El nombre de algunos textos sagrados del hinduismo vinculados íntimamente con el tantrismo.

Agna. El sexto centro del cuerpo según el tantra. Zona que se sitúa en el centro de la frente.

Agni. Literalmente, el fuego. Es el nombre que recibe el poderosísimo dios fuego.

Ahimsa. La famosa «no violencia».

Akasha. La forma más sutil e inaprensible de la materia. El éter o el espacio.

Amrita. Nombre que recibe el delicioso néctar del que sólo pueden disfrutar los dioses.

Anaata. Cuarto centro del cuerpo que se sitúa en el pecho, justo a la altura del corazón.

Ananda. La alegría que tiene la valiosa capacidad de elevar el espíritu, la bienaventuranza. Los hindúes consideran que esta alegría es la sustancia misma de dios. Estado de felicidad absoluta y de espiritualidad óptima. Es el objetivo que persigue el *Sadhana* tántrico.

Anandaswarupa. La encarnación de la *ananda*, de la preciada bienaventuranza.

Anda. Corteza.

Andapindam. El nacimiento de cualquier ser, el principio de cualquier cosa.

Anthakarana. Término que designa la facultad de pensar, pero también al corazón o a la consciencia.

Anugrahakirana. Un rayo de bendición que sólo puede provenir de un acto de verdadera bondad.

Apeksha. La invisible atadura que une al hombre a lo sensual, a lo erótico, a lo mundano.

Arathi. Una ceremonia que consiste en avivar el fuego ante el dios. La *arathi* se realiza al concluir los *bhajans*.

Arjuna. El primo y fiel devoto de Krishna, héroe del Mahabharata.

Artha. La riqueza.

Aryavarta. La traducción literal es «País de los arios». Es el antiguo nombre que se le daba a la India.

Ashanti. Palabra que se utiliza para definir el estado emocional que se caracteriza por sentimientos de aflicción, ansiedad, intranquilidad o desasosiego.

Ashram. O *asram*, nombre que reciben los monasterios sagrados. Por extensión, nombre que recibe la reunión de los discípulos alrededor de su guía espiritual, de su gurú.

Ashu. Rebaño, se aplica este nombre a los adeptos del tantra en el primer nivel.

Asuras. Son los temibles demonios en perpetua situación de conflicto con los dioses.

Atma. Es el espíritu del mismo Dios, su alma.

Atmadharma. La norma básica y fundamental que se debe observar con devoción, el *dharma* divino.

Atman. Es el alma individual de cada uno de los seres que pueblan el universo. Es el sí mismo de un ser, su espíritu. También es lo absoluto presente en el interior de cada ser viviente.

Avatar. La apariencia que Vishnú asume en la tierra, encarnado para salvar al mundo de los demonios que le acechan.

Ayana. Literalmente significa viaje o movimiento, pero esta palabra se utiliza para definir a un período de seis meses.

Baba. Padre.

Bakti Yoga. La práctica del Yoga cuando se dirige a hacer patente la devoción.

Baniano. El baniano es el Árbol Sagrado de la India. Este extraño árbol se caracteriza por sus curiosas raíces aéreas que surgen de la tierra y quedan a la vista. De ellas nacen las ramas, que se sostienen en las raíces y se alimentan de ellas. El baniano es como un árbol al revés.

Bhagavad Gita. Uno de los poemas religiosos y filosóficos más importantes del hinduismo. Es el Canto del Señor y forma parte del sagrado *Mahabharatha*.

Bhagavan. El Ser Máximo. Aquel que posee dentro de sí las seis cualidades Divinas en su totalidad. Dios, el Señor Supremo.

Bhagavatha-Sankalpa. Expresión que se utiliza para designar la Voluntad Suprema del Señor.

Bhajan. Es un canto, una plegaria que se entona como una de las máximas alabanzas a Dios.

Bhajana. Es el conjunto de *Bhajans*, de cantos devocionales que se entonan para honrar a los dioses.

Bhakta. Es el devoto, el que tiene *bhakti*.

Bhaktarakshana. La protección de los *bhaktas*.

Bhakti. Este término femenino se usa para definir la devoción ardiente y sin fisuras que muestran algunos fieles. Una mezcla divina de fe, capacidad de autocontrol y virtud.

Bharath. El nombre que recibe la India. Significa la tierra que tiene devoción por Dios.

Bharathiya. Es cualquier persona devota, provenga del país que provenga, que siente apego real por Dios.

Bhava. El sentimiento, las emociones.

Bhogyá. Es el nombre que recibe la compañera sexual del varón «aquella de la cual se obtiene placer».

Bija. Una palabra que literalmente significa semilla (ya sea en su vertiente vegetal o refiriéndose al semen). Los adeptos del tantra, realizando un notable esfuerzo poético, la utilizan para designar a las vocales puesto que según ellos fecundan a las consonantes hasta dar forma a los mantras, las fórmulas sagradas.

Bimba. De hecho significa «la persona», también se utiliza para definir a lo real, a lo que no es afectado ni impostado.

Bindú. Es el punto del que procede la manifestación cósmica, el centro luminoso o sonoro en el que converge todo el poder. Por extensión gota de esperma.

Bodha. Un término que se aplica a cualquier enseñanza.

Bodhi. Este término, que proviene de las enseñanzas budistas, significa la sabiduría, la Iluminación máxima.

Brahma. Dentro de la Trinidad del hinduismo, el Brahma es el Dios creador de todas las cosas.

Brahmajinasa. Literalmente, «el camino de Brahma». También se le conoce como *Brahma Jinasa* y designa a la fórmula utilizada para alcanzar la comprensión.

Brahman. La Realidad Suprema, el Dios Absoluto y Todopoderoso. Es el ser absoluto, la esencia divina del universo, la inaprensible energía cósmica. Según los libros sagrados es espíritu: «No se le ve, pero Él nos ve. No se le oye, pero Él nos oye. No se le comprende, pero Él nos piensa. No se le conoce, pero Él nos conoce».

Bhahmasamaj. Es el nombre que recibió un movimiento religioso, nacido en el siglo XVIII, que buscaba restablecer el espíritu puro y verdadero de los Vedas.

Brahmín. Nombre que reciben los miembros de la más alta de las cuatro castas hindúes.

Brama-Sutras. También se conocen como *Vedanta-Sutras*. Es un histórico tratado que recoge *sutras* (aforismos).

Bríndavan. O Vríndavan, es el pueblo donde vivió Sri Krishna a lo largo de su infancia. «Ir a Bríndavan», es ir a Dios.

Buddhi. Es la manifestación del Atma, del intelecto. El Buddhi también es la inteligencia, la capacidad de discernir.

Buddhivadin. Es la fuente del intelecto, de donde surgen las ideas y el discernimiento.

Chacra. Una palabra que significa literalmente rueda o círculo. Por extensión, es el nombre que reciben los centros del cuerpo sutil, que a veces también reciben el nombre de *padma* (lotos).

Chacra-puja. Cualquier ritual, oración o plegaria que se realiza en círculo.

Chaithanya. La conciencia, también conocida como Chaitanya.

Chandali. Es el nombre que recibe una mujer perteneciente a la casta de los parias y que es considerada por los que practican el tantrismo como una perfecta compañera sexual.

Chela. Es el nombre que reciben aquellos que siguen a un gurú. Literalmente, *chela* significa «aquel que sigue las enseñanzas de un maestro».

Chith. El estado consciente, la consciencia.

Chitsuddhi. Cuando de la consciencia se pasa a la claridad mental, se habla del *chitsuddhi* o *chiththasuddhi*, de la sublimación de la conciencia.

Chitta. La mente, los pensamientos interiores o la consciencia interna. También se conoce como *chiththa*.

Daivathwam. La condición divina.

Darsanas. Son las seis filosofías ortodoxas que se practican en la India: *Vaissesika*, el *Aksapada* o *Nyaya*, el *Samkhya*, el *Yoga*, el *Purva Mimansa* o *Vedanta*. Significa enfoque o punto de vista y es el nombre genérico que se otorga a todas las grandes escuelas que dan forma al hinduismo tradicional.

Darshan. Significa literalmente «respirar el mismo aire que otro». Darshan o darsana se utiliza para describir a una persona santa que otorga su gracia al resto.

Dasara. Es el populoso Festival Hindú en el cual se celebra la victoria del bien sobre el mal.

Daya. La compasión.

Deeksha. Significa hacer un juramento.

Devadasi. Nombre dado a las servidoras del señor, que también ejercen la función de prostitutas sagradas.

Devanagari. Literalmente significa «la Escritura de los Dioses». Son los caracteres empleados para darle forma al Sánscrito y otras lenguas indias modernas (hindi, bengalí y otras). Se escriben de izquierda a derecha y se caracterizan por la presencia de una fina línea horizontal que une las letras de cada palabra por su parte superior.

Dhairya. El valor.

Dhana. La riqueza.

Dhanalakshmi. Un tipo de riqueza determinada que proviene directamente de la poderosa diosa Lakshmi.

Dharma. Conjunto de todas las normas tradicionales que rigen en el hinduismo clásico. Esta palabra también se utiliza a menudo para referirse al orden del mundo en todas sus manifestaciones (cósmica, social, religiosa...).

Dhiana. El proceso de meditación, de interiorización que se lleva a cabo para lograr una transmutación del ser.

Dhobis. Es el nombre que reciben las prendas de vestir.

Dhoopam. Incienso.

Dhoti. Son las prendas de ropa que utilizan los hombres hindúes. Por extensión, también recibe este nombre la tela que se utiliza para confeccionarlas.

Dhyana. La meditación.

Divyathwam. La Divinidad.

Dushana. Revolcarse o cubrirse el cuerpo con lodo.

Ekagrata. Concentrarse o conseguir mantener la mente fija en un asunto o un pensamiento concreto.

Ganga. El nombre que recibe el Sagrado río Ganges.

Garuda. El pájaro celestial que el dios Vishnú utiliza como medio de transporte.

Ghatas. Son las escaleras que ayudan a los hindúes a acceder a los ríos santos para bañarse.

Goloka. El mundo donde residen los dioses.

Gopala. Uno de los nombres que recibe Krishna.

Gopi. Nombre que reciben las mujeres castas, consideradas compañeras inferiores del dios Krishna cuando le apetece realizar algún juego erótico.

Govardhana. Es el nombre de una montaña situada en Bríndavan, el lugar en el que Krishna triunfó sobre Indra.

Govindha. O Govinda, otro de los nombres del dios Krishna.

Gurú. Nombre que reciben los maestros religiosos.

Hamsa. En realidad es el nombre que recibe un ave migratoria, por extensión se aplica a las almas condenadas a pasar de un cuerpo a otro hasta que finalice un ciclo cósmico. Hamsa también significa un mantra que debe recitarse con un ritmo cadencioso y de vaivén.

Hanuman. El nombre dado a uno de los devotos de Rama, que se representa como un ser mitad mono mitad hombre.

Hari. El Dios Amado, aquel que se encuentra en el corazón de los devotos.

Hridaya. Literalmente, «Nuestro corazón».

Hrudaya Pushpam. El corazón, la flor del corazón.

Hrudaya-Sthayi. En sentido figurado, el corazón, el trono de Dios.

Indra. El Rey de los dioses.

Ishta. Es la imagen o la representación terrena que se utiliza para honrar y adorar a los dioses.

Ishtadevatha. El dios deseado, la deidad escogida, el favorito.

Isvara. Es el nombre genérico que recibe el Dios Único y Supremo por encima de la Trinidad.

Jada. La materia inerte, sin vida.

Jalodakasayi. «Aquel que ha nacido del agua».

Janma. El nacimiento o la encarnación.

Japa. Una palabra que significa literalmente repetición. Y eso es exactamente lo que hacen algunos devotos: repetir continuamente un mantra para entrar en contacto con una deidad determinada.

Japamala. El tradicional rosario hindú. El *japamala* está formado por 108 cuentas.

Japasahita Dhyana. La meditación que se realiza entonando el Nombre de Dios.

Jiva. Ser viviente. Es la abreviatura del término *jiva-atman* (alma que vive). Jiva se utiliza para designar al alma encarnada, al ser humano.

Jivi. El individuo, el ser humano, aquel que reside en el cuerpo.

Jñanagni. El fuego de la Sabiduría.

Jñana Yoga. También conocido como Gñana Yoga. Es la práctica del Yoga dirigida a conseguir adquirir la verdadera sabiduría.

Jyoti. La luz, la forma de una llama encendida.

Kafni. Tipo de turbante hindú.

Kailas. Pico del Himalaya en que se considera que vive el dios Shiva.

Kala. El tiempo.

Kali. Es la energía primigenia, la Madre Divina de cuyo vientre surgió todo.

Kalpavriksha. El árbol del Edén, el árbol de los deseos.

Kama. El deseo sexual o el amor erótico. El *kama* es el primer principio, gracias al cual se puede producir la unión sexual completa entre el hombre y su compañera.

Karma. Ley moral que rige para todos los fieles. El significado literal de esta palabra es obra, acción o acto. Los hindúes consideran que cualquier acto realizado por cualquier ser humano, por ínfimo que pueda parecer, produce un efecto en el universo y deja un rastro psíquico.

Kartavya. El deber ineludible.

Kaula. Es el nombre que se les da a los adeptos al tantrismo.

Késava. Otro de los nombres que recibe Krishna.

Kriyashakti. Los anhelos del hombre que lo impulsan a actuar.

Krodha. La ira.

Kshatriya. La segunda de las cuatro castas, la de los guerreros.

Kundalini. Es la energía espiritual que yace dormida en cada individuo. La *kundalini* se acostumbra a representar como una gran serpiente enrollada en la base de la columna vertebral. Esta palabra, que literalmente se podría traducir como «enroscada», es el nombre que recibe la serpiente femenina que habita en la base del cuerpo sutil.

Laalana. Atender o procurar cuidados a alguien.

Lassie. Una refrescante bebida elaborada a base de leche fresca y mantequilla.

Lilá. Cualquier tipo de danza sexual o juego erótico (especialmente los que practican el dios Krishna y sus *gopis*).

Lingam. El falo erecto. La traducción literal sería distintiva o alguna cosa muy importante.

Lokakalyanam. La prosperidad en su vertiente más mundana.

Mahimas. Glorias o milagros propiciados por acciones divinas.

Maithuna. La unión sexual plena entre el señor y su compañera.

Majjana. El ritual de la inmersión.

Mana. El cerebro y todas sus funciones, el pensamiento, «el pensar», las ideas...

Manana. Reflexionar.

Manas. La mente, el entendimiento o la comprensión.

Manava. El Hombre.

Manavathwam. Se utiliza tanto para designar a la condición humana como para describir al hombre que tiene la mente despierta.

Mandir. Los salones de oración o los templos sagrados.

Manipura. El tercero de los centros que se encuentran en el cuerpo sutil. El *manipura* se sitúa en el vientre, justo a la altura del ombligo.

Mantra. Cántico, himno, plegaria o poema sagrado.

Manu. El considerado padre del imperfecto género humano.

Manu Dharma Sastra. Rígido código de conducta escrito por Manu.

Math. El monasterio.

Mathura. El nombre de la ciudad en la que nació Krishna.

Maya. Una ilusión pasajera y seductora que oscurece la visión de Dios y desvía la mirada del fiel. La *maya* también es la ignorancia, y, por extensión, todos los placeres breves y mundanos.

Mayashakti. Literalmente, «el espíritu que encanta», es el poder de crear la ilusión o de sugestionar.

Moksha. Es la meta de cualquier práctica espiritual, la liberación total, ya sea a través de la alegría extrema o del más profundo pesar.

Mounam. El silencio más profundo.

Muladhara. El primer centro de nuestro cuerpo sutil. El *muladhara* se localiza a la altura del ano.

Muni. Es el nombre que recibe un profeta o un pensador.

Nadi. Son los canales por los que circula el aliento vital en el cuerpo sutil.

Nama. Nombre.

Namaskaram. Un respetuoso saludo que se escenifica con el homenaje de la postración.

Navagrahas. Los nueve planetas.

Nayana. Ojo.

Nilayam. La morada, el hogar.

Nirvana. Estado en el que se alcanza la paz absoluta. Es el estado trascendente que supone la etapa final en el camino hacia la perfección espiritual.

Nithya. Término que se aplica a aquello que permanece, a cualquier cosa que no se ve afectada por las limitaciones impuestas por el espacio y el tiempo.

Om. El monosílabo sagrado. Está formado por tres letras «a», «u», «m», que se deben pronunciar, según las normas fonéticas tántricas sánscritas en una sola, «o», que debe alargarse dándole un punto de vibración sostenida.

Padma. Palabra que en realidad significa loto, pero que también se utiliza para designar, los centros del cuerpo sutil, llamados más comúnmente chacras.

Panakam. Bebida dulce elaborada con frutas frescas.

Paria. Los intocables, los que no pertenecen a ninguna de las cuatro castas.

Paropakara. Ayudar a otros a hacer el bien al resto de la comunidad.

Pashu. O rebaño. Es el nombre que reciben los practicantes del tantra en su primer nivel.

Pathram. Hojas.

Phalam. Frutas.

Prajna. El nombre que recibe cualquier conocimiento adquirido. La *prajna* también es la sabiduría o la intuición.

Prana. El aliento vital que otorga la vida al cuerpo físico.

Pranayama. Literalmente: control del aliento. El *pranayama* es el cuarto nivel del yoga, un estado al que se llega cuando se es capaz de controlar la respiración, ralentizándola y manteniendo el aire dentro de los pulmones el mayor tiempo posible.

Prasad. El alimento que procede de las manos de Dios.

Prema. El Amor Universal, incondicional y no contaminado por ninguna impureza mundana. El Amor Divino.

Premavadin. La fuente de la que procede todo el amor del mundo.

Puja. Culto religioso, ya sea una oración, una plegaria, un cántico o cualquier acción destinada a honrar a los dioses.

Puranas. Proceden de las tradiciones más sagradas de la India. Los *puranas* son relatos históricos y mitológicos.

Purna. Repleto, lleno, completo.

Pushpam. Flores.

Radha. La amada de Krishna.

Raga. Melodía, música.

Rajásico. La vertiente más pasional de la naturaleza. La acción.
Ramayana. El Gran poema épico.
Rasa. Palabra que se utiliza tanto para designar al semen, como para nombrar a aquello que tiene sabor delicioso o que constituye un auténtico placer sexual.
Rishi. El *rishi* es un sabio que ha logrado llevar una vida carente de deseos. Literalmente «vidente de la verdad». El profeta o el vidente, un personaje místico que tuvo acceso directo a las sagradas escrituras del hinduismo.
Sadbudhi. El buen sentido.
Sadhaka. El nombre que se le da a los aspirantes espirituales, dedicados en cuerpo y alma a vencer a su ego y al apego a las cosas materiales.
Sadhana. Engloba a cualquier disciplina o práctica espiritual llevada a cabo por un devoto, ya sea la meditación, la recitación de los nombres de Dios… La victoria completa, la realización espiritual plena y, por extensión, los medios para obtenerlas.
Sadhaqa. Nombre y honor que recibe el adepto cuando consigue alcanzar un alto grado de desarrollo espiritual.
Sadhu. Término que normalmente se utiliza para referirse a los monjes. Se trata de un santón que se ofrece al servicio de los renunciantes, de aquellos que han decidido libremente abandonar el mundo para entregarse en cuerpo y alma a la búsqueda de lo absoluto. Por extensión, cualquier persona sabia, devota o virtuosa.
Sahaja. Lo normal.
Sahasam. La determinación.
Sahasrara. El séptimo y último de los centros del cuerpo sutil. Se simboliza con la figura de una rueda, con mil radios, o de un loto con mil hojas.
Sai. La Madre de todos.

Sakshatkara. Experimentar el sentido último de la Divinidad a través de la propia realización personal.
Samadhi. Estado de comunión con Dios.
Samsara. El mundo físico y tangible.
Samskara. Cualquier ritual de purificación.
Sankalpa. Literalmente, significa «objetivo o resolución». Por extensión, la Voluntad de Dios.
Sánscrito. Palabra que deriva del término *samskritam*, que significa perfecto. Lengua indoeuropea (hermana del latín y del griego).
Sanyasa. La renuncia a las ataduras mundanas, el desapego.
Sanyasi. El renunciante, el asceta.
Sari. El vestido tradicional de las mujeres hindúes.
Sarvanama. Todos los Nombres de Dios en uno.
Sarva-Saktha. El Todopoderoso.
Sastra. Cualquier código moral o religioso, cualquier escritura que ilumine al lector.
Sathya. La auténtica y única verdad eterna.
Satpravartana. Comportarse como se debe, hacer buenas acciones y centrarse en el bienestar de los demás.
Sátvico. Aquello o aquel que es puro, bueno y piadoso. El *sátvico* se considera el principio de la sabiduría.
Sathya-Sankalpa. El interés por acercarse a la verdad.
Sathyamarga. El camino para llegar a la verdad.
Shakta. Nombre que reciben los adeptos a la disciplina tántrica.
Shakti. Designa a la poderosa energía divina que representa la verdadera naturaleza de los grandes dioses, cuyo rastro se puede encontrar en los hombres.
Shavam. Cadáver.
Shivam. La bondad.
Shrimad Bhagavatam. Una de las Escrituras Sagradas Hindúes. Esta exposición de los antiguos saberes védicos se atribuye a Vyasa.

Siddhi. La perfección personal. Para alcanzarla se necesita adquirir poderes suprahumanos. La realización total, un término que también se utiliza para designar a los poderes que se pueden obtener a través de la meditación.

Sisupala. Se aplica este término para definir a aquellas personas inclinadas a hacer el mal.

Snana. Baños

Sodhana. Actos de purificación.

Sraddha. La fe más firme y constante. La devoción sin ambages.

Srama. El tiempo.

Sri. Fórmula de respeto, podría traducirse como «Señor».

Sudras. La cuarta de las castas hindúes, los trabajadores.

Sundaram. Belleza.

Svadistana. El segundo de los centros, de los chacras, del cuerpo sutil. Se sitúa a la altura del sexo.

Svarga. El maravilloso cielo morado en el que habitan los dioses. Un paraíso al cual tendrán acceso todos aquellos que cumplan religiosamente con todos los ritos dedicados a ellos.

Tala. Ritmo.

Tapa. El ascetismo, el sacrificio de las cosas terrenas, la austeridad religiosa.

Thoyam. Agua.

Thyaga. Sacrificio que casi siempre tiene que ver con el desapego, con la renuncia a los bienes y placeres terrenales.

Upadhi. La apariencia.

Upanayana. El sacramento iniciático que reciben los niños hindúes, siempre que hayan nacido en algunas de las castas superiores, alrededor de los siete años.

Upanishad. Significa literalmente «enseñanza esotérica». Reciben este nombre algunos de los textos revelados que contienen las doctrinas básicas del hinduismo.

Upeksha. Una de las cuatro virtudes principales: no involucrarse.

Vaishyas. La tercera de las cuatro castas de la India, la que forman los comerciantes.

Vajra. Rayo. Arma de guerra del dios Indra. Por extensión, falo. También significa diamante, por lo que se utiliza para designar el misterio tántrico, que sólo puede ser revelado a los adeptos más avanzados.

Veda. Los Veda, son las escrituras más sagradas del hinduismo. Se considera que son revelaciones divinas otorgadas a grandes videntes. Son cuatro: *Rig-Veda, Yahur-Veda, Soma-Veda* y *Atharva-Veda*.

Vibhuti. La ceniza sagrada, pero también el poder para producirla.

Vidya. El conocimiento.

Vira. Una palabra que literalmente significa héroe, guerrero u hombre muy viril. En el tantrismo se utiliza para designar a los adeptos del más alto nivel (por oposición a los *pashus*).

Vishaya Vasana. Los asuntos mundanos.

Visuda. Situado en el cuello, a la altura de la garganta, es el quinto centro del cuerpo sutil.

Yoga. Método, técnica o disciplina que se utiliza para alcanzar el pleno desarrollo espiritual.

Yogi. Seguidor del yoga. Hombre santo.

Yogini. Seguidora del yoga o compañera sexual.

Yoni. El órgano sexual femenino, representado en el *mándala* por un triángulo con la punta situada hacia abajo.